PLENA SATISFAÇÃO em DEUS

DEUS GLORIFICADO E A ALMA SATISFEITA

PLENA SATISFAÇÃO em DEUS

Deus Glorificado e a Alma Satisfeita

John Piper

FIEL Editora

P665p　　Piper, John, 1946-
　　　　　Plena satisfação em Deus : Deus glorificado e a alma satisfeita / John Piper – São José dos Campos, SP : Fiel, 2011.

　　　　　96 p. ; 16cm.
　　　　　Tradução de: The dangerous duty of delight.
　　　　　ISBN 9788599145630

　　　　　1. Deus – Adoração e amor. 2. Busca de Deus. I. Título.

　　　　　　　　　　　　　　　　　　　　　　　　CDD: 248.4

Catalogação na publicação: Mariana C. de Melo – CRB07/6477

PLENA SATISFAÇÃO EM DEUS
Deus glorificado e a alma satisfeita.

Publicado originalmente me inglês sob o título de The Dangerous Duty of Delight, por John Piper
Copyright©2001 por Desiring God Foundation

Publicado por Multnomah Books, uma marca de Crown Publishing Group. Uma divisão de Random House, Inc. 12265 Oracle Boulevard, Suíte 200 Colorado Springs, Colorado 80921 USA

Todos os direitos para tradução em outros idiomas devem ser contratados através de: Gospel Literature International
P. O Box 4060, Ontário, Califórnia 91761-1003 USA

A presente tradução foi feita com a permissão de Multnomah Books, uma marca de Crown Publishing Group. Uma divisão de Random House, Inc.

Primeira edição em português © Editora Fiel 2009

Todos os direitos em língua portuguesa reservados por Editora Fiel da Missão Evangélica Literária

PROIBIDA A REPRODUÇÃO DESTE LIVRO POR QUAISQUER MEIOS, SEM A PERMISSÃO ESCRITA DOS EDITORES, SALVO EM BREVES CITAÇÕES, COM INDICAÇÃO DA FONTE.

Diretor: Tiago J. Santos Filho
Editor-chefe: Vinicius Musselman
Editor: Tiago J. Santos Filho
Coordenação Gráfica: Gisele Lemes
Tradução: Juliana G. Duarte Portella
Revisão: Franklin Ferreira
Diagramação: Wirley - Layout
Capa: Edvânio Silva

ISBN impresso: 978-85-9914-563-0
ISBN eBook: 978-85-8132-322-0

FIEL Editora
Caixa Postal, 1601
CEP 12230-971
São José dos Campos-SP
PABX.: (12) 3919-9999
www.editorafiel.com.br

ÍNDICE

Prefácio 11

Capítulo 1
Considerar o prazer em Deus como nosso dever é um assunto polêmico 17

Capítulo 2
Glorifique a Deus alegrando-se nEle para sempre 23

Capítulo 3
Afeições...Não são uma opção! 37

Capítulo 4
Buscar o prazer em Deus mina o orgulho e a autocomiseração 43

Capítulo 5
Busque a sua alegria na alegria do Amado 49

Capítulo 6
O que isso significa na adoração? 67

Capítulo 7
O que isso significa no casamento? 73

Capítulo 8
O que isso significa nas finanças? 79

Capítulo 9
O que isso significa nas missões? 91

Epílogo: Um chamado final......................................99

Notas..103

Você quer conhecer mais sobre este assunto?.........107

Imaginem-me com os dentes cerrados,
perseguindo a alegria — completamente
armado, pois essa busca é altamente perigosa.

Flannery O'connor

Há quinze anos eu dediquei a versão maior
deste livro, *Em Busca de Deus –
A Plenitude da Alegria Cristã*, ao meu pai

WILLIAM SOLOMON HOTTLE PIPER

Agora, mais do que nunca, há um doce débito
que sinto para com ele, todos estes
cinqüenta e cinco anos da minha vida,
pela feliz santidade que ele viveu para
a glória de Deus e por minha causa.

"Inquieto está o nosso coração,
enquanto não repousa em Ti."

Santo Agostinho

"Se encontro em mim um desejo que nenhuma experiência deste mundo pode satisfazer, a explicação mais provável é a de que fui criado para um outro mundo."

C. S. Lewis

Nota do Editor

Caro leitor,

Esse livrete de John Piper é um resumo de sua obra maior, "Desiring God", publicado no Brasil pela Shedd Publicações sob o título de "Em busca de Deus – A plenitude da alegria cristã".

A tônica desta obra está em sua premissa básica, que é desenvolvida em todos os capítulos do livro: Deus é mais glorificado em nós quando somos mais satisfeitos n'Ele. Assim, vemos que a maior motivação da vida do cristão é buscar a Deus e gozá-lo para sempre. Piper, muitas vezes alerta o leitor que o grande problema da humanidade é que ela se contenta com muito pouco prazer; busca sua alegria em coisas fugazes e efêmeras. E, para enfatizar o dever do amor e prazer em

Deus, como expressão máxima da alegria verdadeira e perene, criou uma expressão, o "hedonismo cristão". Entendemos o interesse do autor em chamar a atenção do leitor para o dever deste em buscar prazer em Deus, e o consequente uso de uma linguagem que, embora chocante, possa traduzir esse forte apelo. No entanto, entendemos que a associação de um ensino tão bíblico e belo com uma terminologia proveniente de filosofia estranha à fé cristã, não seria apropriado, por isso, todas as vezes que aquele termo é empregado, utilizamos a expressão "prazer cristão", pois esta traduz bem o propósito do autor e não dá margem à uma interpretação equivocada da mensagem principal, que é bíblica e deve ser buscada por todo cristão.

Prefácio

Amado Leitor,
Escrevo este livreto porque a verdade e a beleza de Jesus Cristo, o Filho de Deus, são fascinantes. Eu faço coro com o salmista:

> *Uma coisa peço ao Senhor, e a buscarei:*
> *que eu possa morar na Casa do Senhor todos os*
> *dias da minha vida, para contemplar a beleza*
> *do Senhor e meditar no seu templo.*
>
> Salmo 27:4

Se você é um guia turístico e sabe que os turistas anseiam por desfrutar da beleza — que estão até mesmo dispostos a arriscar suas vidas para que a vejam — e assim se vê diante de um pico de tirar o fôlego, então o seu dever é mostrá-lo a eles e insistir que desfrutem da vista. Bem, a raça humana de fato anseia pela experiência da admiração.

E não há realidade mais arrebatadora do que Jesus Cristo. Estar com Ele não significa estar livre de perigo, mas a sua beleza é extraordinária.

Deus colocou a eternidade na mente do homem e encheu o coração humano de anelos. Mas nós não sabemos pelo que anelamos até que nós vejamos o quão formidável Deus é. Esta é a causa da inquietação universal. Daí a famosa oração de Santo Agostinho: *"Fizeste-nos para Ti, e inquieto está o nosso coração, enquanto não repousa em Ti"*.[1]

O mundo tem um anseio insaciável. Tentamos satisfazer este anseio por meio de férias com paisagens pitorescas, habilidades criativas, produções cinematográficas extraordinárias, aventuras sexuais, esportes espetaculares, drogas alucinógenas, devoções rigorosas, excelência administrativa, dentre muitas outras coisas. Mas o anseio permanece. O que isto significa? C. S. Lewis responde:

> Se encontro em mim um desejo que nenhuma experiência deste mundo pode satisfazer, a explicação mais provável é a de que fui criado para um outro mundo.[2]

A tragédia do mundo é que o eco é confundido com o grito que o iniciou. Quando estamos de costas para a beleza fascinante de Deus, fazemos sombra na terra e nos apaixonamos por ela própria. Mas isto não nos satisfaz verdadeiramente.

> Os livros ou a música onde pensamos estar a beleza nos trairão se confiarmos neles... Pois eles não são a coisa em si; eles são somente o aroma de uma flor que não encontramos, o eco de um tom que ainda não ouvimos, notícias de um país que nunca visitamos.[3]

Escrevi este livro porque a Beleza encantadora nos *visitou*. "E o Verbo se fez carne e habitou entre nós, cheio de graça e de verdade, e vimos a sua glória, glória como do unigênito do Pai" (João 1.14). Como, então, eu poderia deixar de clamar, *Olhe! Creia! Seja satisfeito!* Contemplar tal beleza pode custar a sua vida. Mas valerá a pena, pois sabemos, baseados na autoridade da Palavra de Deus, que "a tua graça é melhor do que a vida" (Salmo 63.3). Delícias infinitas são um dever arriscado. Mas você não se arrependerá da busca. Eu a chamo de prazer cristão.

Capítulo 1

Considerar o prazer em Deus como nosso dever é um assunto polêmico

Falar do "prazer cristão" soa controverso, mas este é um antigo estilo de vida.

Este estilo de vida nos remete a *Moisés*, que escreveu os primeiros livros da Bíblia e fez ameaças terríveis se nós não fôssemos felizes: "Porquanto não servistes ao Senhor, teu Deus, com alegria e bondade de coração... servirás aos inimigos que o Senhor enviará contra ti" (Dt. 28.47-48).

Nos remete também ao rei de Israel, *Davi*, que chamou Deus de sua "grande alegria" (Sl 43.4) e disse: "Servi ao Senhor com alegria" (Sl 100.2) e "deleita-te no Senhor" (Sl 37.4); e que orou: "Sacia-nos de manhã com a tua benignidade, para que... nos alegremos todos os nossos dias" (Sl 90.14); e que prometeu que o prazer completo e duradouro é encontrado somente em Deus: "Na tua presença há plenitude de alegria, na tua destra, delícias perpetuamente" (Sl 16.11).

E a *Jesus*, que disse: "Bem-aventurados sois quando, por minha causa, vos injuriarem, e perseguirem... Regozijai-vos e exultai, porque é grande o vosso galardão nos céus" (Mt 5.11-12); e que disse: "Tenho-vos dito estas coisas para que o meu gozo esteja em vós, e o vosso gozo seja completo" (Jo 15.11); e que suportou a Cruz "em troca da alegria que lhe estava proposta" (Hb 12.2); e que prometeu que, no final, os servos fiéis ouviriam as palavras: "Entra no gozo do teu senhor" (Mt 25.21).

E a *Tiago* o irmão de Jesus, que disse: "Tende por motivo de toda alegria o passardes por várias provações" (Tg 1.2).

E ao apóstolo *Paulo*, que estava "entristecido, mas sempre alegre" (2Co 6.10); e que descreveu o ministério da sua equipe como "cooperadores de vossa alegria" (2Co 1.24); e que ordenou aos cristãos: "Alegrai-vos sempre no Senhor" (Fp 4.4); e até mesmo disse: "Nos gloriamos nas tribulações" (Rm 5.3).

E ao apóstolo *Pedro*, que disse: "Alegrai-vos na medida em que sois co-participantes dos sofrimentos de Cristo, para que também, na revelação de sua glória, vos alegreis exultando" (1Pe 4.13).

E também a *Santo Agostinho*, que no ano de 386, encontrou liberdade da sensualidade e depravação impura nos prazeres supremos de Deus: "Quão suave se tornou de repente para mim a privação das falsas delícias! Eu que tanto temia perdê-las, senti prazer agora em abandoná-las. Tu, ó verdadeira e suprema suavidade, as afastavas de mim. Afastavas e entravas em lugar delas, mais doce do que qualquer prazer."[4]

E a *Blaise Pascal*, que observou: "Todos os homens procuram ser felizes. Isso não tem exceção, por mais diferentes que sejam os meios empregados. Todos tendem para esse fim... A vontade nunca faz o menor movimento que não seja em direção desse objetivo. É o motivo de todas as ações de todos os homens, até daqueles que vão se enforcar."[5]

E aos *puritanos* cujo objetivo era conhecer a Deus tão bem a ponto de dizerem que "deliciar-se nEle é o nosso ofício",[6] porque eles sabiam que este prazer "nos armaria contra os ataques de nossos inimigos espirituais e tiraria de nós o apetite por aqueles prazeres com os quais o tentador isca seus anzóis".[7]

E a *Jonathan Edwards*, que descobriu e ensinou mais poderosamente do que muitos que "a felicidade da criatura consiste em regozijar-se em Deus, através de quem Deus também é magnificado e exaltado."[8] "A finalidade da criação é glorificar a Deus. E o que é glorificar a Deus, senão regozijar-se diante da glória que Ele manifestou?"[9]

Remete ainda a C. S. Lewis, que descobriu que "nós nos contentamos com pouco".[10]

E a milhares de *missionários*, que deixaram tudo por Cristo e ao final disseram, com David Livingstone: "Eu nunca fiz sacrifício algum."[11]

A busca pelo prazer cristão não é algo novo.

Se o prazer cristão é algo antigo, por que então é um assunto tão polêmico? Uma das razões é porque o prazer não é somente uma consequência da obediência a Deus, mas *parte da* obediência. Aparentemente as pessoas estão dispostas a permitir que o prazer seja um resultado secundário do nosso relacionamento com Deus, mas não parte essencial do mesmo. As pessoas se incomodam em dizer que temos por obrigação buscar o prazer.

Assim, ouvimos coisas do tipo: "Não busque o prazer; busque a obediência". Mas a busca pelo prazer cristão responde: "Isto é como dizer, 'não coma maçãs; coma frutas'", porque o prazer em Deus *é* um ato de obediência. Regozijarmo-nos em Deus é um mandamento. Se obediência significa fazer o que Deus manda, então o prazer não é meramente uma consequência da obediência, mas *é* um ato de obediência. A Bíblia nos diz repetidas vezes para nos regozijarmos em Deus: "Alegrai-vos no Senhor e regozijai-vos, ó justos; exultai, vós todos que sois retos de coração" (Sl 32.11). "Alegrem-se e exultem os povos" (Sl 67.4). "Deleita-te no Senhor" (Sl 37.4). "Alegrai-vos... porque o vosso nome está arrolado nos céus" (Lc 10.20). "Alegrai-vos sempre no Senhor; outra vez digo: alegrai-vos!" (Fp 4.4).

A Bíblia não nos ensina que devemos tratar o prazer em Deus simplesmente como um resultado secundário da nossa obrigação. C. S. Lewis entendeu isto bem ao escrever para um amigo: "É um dever cristão, como você sabe, que todos sejam tão felizes quanto possível."[12] Sim, isto é algo arriscado e polêmico. Mas é estritamente verdadeiro. A felicidade máxima, tanto qualitativa quanto quantitativa, é exatamente o que temos por obrigação buscar.

Um cristão sábio descreveu o relacionamento entre dever e prazer da seguinte forma:

> Suponhamos que um marido pergunte à sua esposa se ele deve dar-lhe um beijo de boa noite. Sua resposta é: 'Você deve, mas não aquele tipo de dever'. O que ela quer dizer é o seguinte: 'A não ser que um afeto espontâneo pela minha pessoa te motive, suas iniciativas estarão completamente desprovidas de valor moral'.[13]

Em outras palavras, se não há prazer no beijo, o dever de beijar não foi cumprido. O prazer na pessoa da esposa, expresso pelo beijo, é parte do dever, e não um resultado secundário do mesmo.

Mas se isto é verdade – se o prazer em fazer o bem é parte do que *significa* fazer o bem – então a busca pelo prazer faz parte da busca pela virtude. Perceba porque este assunto começa a tornar-se polêmico. É a seriedade de como é tratado. "Você realmente está falando sério?", alguém diz. "Você realmente quer dizer que *prazer* não é somente uma palavra usada como artimanha para chamar a nossa atenção. De fato este termo diz algo assolador, absolutamente verdadeiro com relação a como devemos viver. A busca pelo prazer é uma parte realmente necessária de ser uma boa pessoa". É exatamente isto. Eu falo sério. A Bíblia fala sério. É algo muito sério. Nós não estamos brincando com as palavras.

Que isto esteja claro e nítido: nós estamos falando sobre prazer *em Deus*. Até mesmo o prazer em fazer o bem é, no final das contas, prazer em Deus, pois o bem supremo que sempre almejamos é manifestar a glória de Deus e expandir o nosso próprio prazer em Deus para os outros. Qualquer outro prazer seria qualitativamente insuficiente para o anseio das nossas almas e quantitativamente pequeno demais para nossa necessidade eterna. Somente em Deus estão a *plenitude* de prazer e prazer *para sempre*.

"Na Tua presença há *plenitude* de alegria, na Tua destra, delícias *perpetuamente*" (Sl 16.11).

CAPÍTULO 2

GLORIFIQUE A DEUS ALEGRANDO-SE NELE PARA SEMPRE

Nós fomos criados para maximizar nosso prazer em Deus. "Mas espere um pouco", alguém diz, "e a glória de Deus? Deus não nos criou para a *Sua* glória? Mas você está dizendo que Ele nos criou para buscarmos o *nosso* prazer!" Para qual dos dois propósitos fomos criados? Para a Sua glória ou para o nosso prazer?

Oh, quão ardentemente eu concordo que Deus nos criou para a Sua glória! Sim! Sim! Deus é a pessoa mais centrada em Deus do universo. Esta é a minha bandeira em tudo o que prego e escrevo. A busca pelo prazer cristão foi justamente planejado para preservar esta realidade! A principal finalidade de Deus é glorificar a Deus. Isto está escrito por toda a Bíblia. Este é o propósito de tudo o que Deus faz.

O objetivo de Deus a cada fase da criação e salvação é magnificar a Sua glória. É possível magnificar com um microscópio ou com um telescópio. Um microscópio magnifica ao fazer com que criaturas microscópicas pareçam maiores do que são. Um telescópio magnifica ao fazer com que astros gigantescos (como as estrelas), que parecem minúsculos, mostrem-se mais próximos do que realmente são. Deus criou o universo para magnificar a Sua glória da forma como um telescópio magnifica os astros. Tudo o que Ele faz em nossa salvação Ele o faz com a intenção de magnificar a glória da Sua graça desta forma.

Considere, por exemplo, alguns dos passos da nossa salvação: predestinação, criação, encarnação, propiciação, santificação e juízo final. A cada passo a Bíblia diz que Deus faz estas coisas, através de Cristo, para expor e magnificar a Sua glória.

- *Predestinação*: "Nos predestinou para ele, para a adoção de filhos, por meio de Jesus Cristo, segundo o beneplácito de sua vontade, *para o louvor da glória* de sua graça" (Ef 1.5-6).
- *Criação*: "Trazei meus filhos de longe e minhas filhas, das extremidades da terra, a todos os que são chamados pelo meu nome, e os que criei *para minha glória*" (Is 43.6-7).
- *Encarnação*: "Cristo foi constituído ministro da circuncisão,

em prol da verdade de Deus, para confirmar as promessas feitas aos nossos pais; e *para que* os gentios *glorifiquem a Deus* por causa da sua misericórdia" (Rm 15.8-9).
- *Propiciação*: "A quem Deus propôs [Cristo], no seu sangue, como propiciação, mediante a fé, *para manifestar a sua justiça*, por ter Deus, na sua tolerância, deixado impunes os pecados anteriormente cometidos" (Rm 3.25).
- *Santificação*: "E também faço esta oração: que o vosso amor aumente mais e mais... cheios do fruto da justiça, o qual é mediante Jesus Cristo, *para a glória e louvor de Deus*" (Fp 1.9,11).
- *Juízo Final:* "Estes [que não obedecem ao evangelho] sofrerão penalidade de eterna destruição, banidos da face do Senhor e da glória do seu poder, quando vier *para ser glorificado* nos seus santos e *ser admirado* em todos os que creram" (2Tss 1.9-10).

Então eu não poderia concordar mais com quem diz: "Deus nos criou e nos salvou para a *Sua* glória!"

"Bem, então," meu amigo pergunta, "como você pode dizer que o propósito da vida é maximizar nosso prazer? Deus não nos criou para compartilhar do seu principal objetivo - glorificar a Si mesmo? Para qual dos dois fomos criados? Para a Sua glória ou para nosso prazer?"

Então, aqui estamos nós tratando do coração deste ensino da busca pelo prazer cristão! Se você não conseguir absorver nada, entenda isto. Eu aprendi com Jonathan Edwards, C. S. Lewis, e, mais importante ainda, com o apóstolo Paulo.

Edwards foi o maior pastor-teólogo que a América jamais produziu. Ele escreveu um livro em 1755, chamado *The End for Which God Created the World (O fim para o qual Deus criou o mundo)*. O fundamento e propósito deste livro podem ser vislumbrados a partir premissa a seguir. Nela, vemos a base mais profunda da busca pelo prazer cristão. Leia este antigo trecho devagar para enxergar a determinação brilhante de Edwards:

> *Deus é glorificado não somente por Sua glória ser contemplada, mas pelo regozijar-se nela.* Quando os que a vêem regozijam-se, Deus é mais glorificado do que se ela for somente contemplada. Sua glória é então completamente recebida pela alma, e também pelo entendimento e pelo coração. Deus criou o mundo para que Ele pudesse comunicar a Sua glória à criatura; e para que esta possa [ser] recebida pela mente e pelo coração. Aquele que afirma a sua idéia da glória de Deus [não] glorifica tanto a Deus quanto aquele que, além disto, também declara o seu... prazer nela.[15]

Esta é a solução. Deus te criou para a *Sua* glória ou para o *seu* prazer? Resposta: Ele te criou para que você possa passar a eternidade glorificando-O ao gozá-Lo para sempre. Em outras palavras, você não precisa escolher entre glorificar a Deus e ter prazer em Deus. De fato, não ouse escolher. Se você abandonar um, perderá o outro. Edwards está absolutamente certo: *"Deus é glorificado não somente por Sua glória ser contemplada, mas pelo regozijar-se nela"*. Se não nos regozijarmos em Deus, não O glorificaremos como devemos.

Este é o firme alicerce da busca pelo prazer cristão: *Deus é mais glorificado em nós quando estamos mais satisfeitos nEle*. Esta é a melhor notícia do mundo. A paixão de Deus por ser glorificado e minha paixão por ser satisfeito não estão em conflito.

Você pode dar uma reviravolta em seu mundo se mudar uma palavra de seu credo – por exemplo, mudar *e* por *ao*. O antigo Catecismo de Westminster pergunta: "Qual é o fim supremo e principal do homem?" Ele responde: "O fim supremo e principal do homem é glorificar a Deus *e* gozá-lo para sempre".

E?

Glorificar a Deus e se alegrar nEle são duas coisas distintas?

Evidentemente, os pastores do passado que elaboraram o catecismo não pensaram estar falando de duas coisas. Eles escreveram "o fim supremo" e não "os fins supremos." Glorificar a Deus e se alegrar nEle eram uma só finalidade em suas mentes, não duas.

O objetivo da busca pelo prazer cristão é mostrar o porquê disto. Ele se propõe a demonstrar que nós glorificamos a Deus *ao* nos alegrarmos nEle para sempre. Esta é a essência da busca pelo prazer cristão. *Deus é mais glorificado em nós quando estamos mais satisfeitos nEle.*

Talvez você entenda agora o que me leva a ser radical com relação a isto. Se isto é verdade, que Deus é mais glorificado em nós quando estamos mais satisfeitos nEle, então veja o que está em jogo na nossa busca por prazer. A glória de Deus está em jogo! Se eu digo que buscar o prazer não é essencial, estou dizendo que glorificar a Deus não é essencial. Mas se glorificar a Deus é fundamentalmente importante, então buscar a satisfação que manifesta a Sua glória é fundamentalmente importante.

A busca pelo prazer cristão não é um jogo. É do que se trata o universo.

A implicação radical que isto tem é que buscar o prazer em Deus é o nosso maior chamado. Isto é essencial para toda a virtude e toda a reverência. Quer pensemos em nossa vida verticalmente com relação a Deus ou horizontalmente com relação aos homens, a busca pelo prazer em Deus é crucial, e não opcional. Nós veremos em breve que o amor genuíno pelas pessoas e a adoração genuína direcionada a Deus dependem da busca pelo prazer.

Antes que eu visse estas coisas na Bíblia, C. S. Lewis me surpreendeu quando menos esperava. Eu estava na livraria *Vroman´s* na Avenida Colorado, na cidade de Pasadena, Califórnia, no outono de 1968. Eu peguei uma cópia azul, fina, do sermão *Peso de Glória*, de Lewis. A primeira página mudou a minha vida.

> Se na maior parte das mentes modernas oculta-se a noção de que desejar o nosso próprio bem e querer usufruí-lo de fato é algo ruim, eu afirmo que essa noção surge furtivamente com Kant e com os estóicos, e não faz parte da fé cristã. Na verdade, se analisarmos as audaciosas promessas de galardão e a natureza surpreendente das recompensas prometidas nos Evangelhos, parecia que Nosso Senhor considera nossos desejos não muito fortes, mas muito fracos, isto sim. Somos criaturas sem entusiasmo, brincando feito bobos e inconsequentes com bebida, sexo e ambições, quando o que se nos oferece é alegria infinita. Agimos como uma criança sem noção, que prefere continuar fazendo bolinhos de lama num cortiço porque não consegue imaginar o que significa a dádiva de um fim de semana na praia. Muito facilmente, nós nos contentamos com pouco.[16]

Nunca em minha vida eu havia ouvido alguém dizer que o problema com o mundo *não* estava na intensidade da nossa busca pela felicidade, mas pela *fraqueza* da mesma. Tudo em mim gritava: *Sim! É isto!* Aquilo era tão claro para mim. Preto no branco; foi algo que me constrangeu: o grande problema com os seres humanos é que contentamo-nos com muito pouco. Não buscamos o prazer com sequer o vigor e a paixão que deveríamos. E então contentamo-nos com bolinhos de areia ao invés de delícias infinitas.

Lewis disse que "contentamo-nos com muito pouco". Quase todos os mandamentos de Cristo são motivados pelas "promessas pouco modestas de galardão". Baseado na "espantosa natureza das recompensas prometidas nos evangelhos, diríamos que nosso Senhor considera que nossos desejos não são demasiadamente grandes, mas demasiadamente pequenos".

Sim. Mas o que isto tem a ver com o louvor e a glória de Deus? A busca pelo prazer cristão diz não somente que nós devemos buscar o prazer que Jesus promete, mas acrescenta que o próprio Deus é glorificado nesta busca. Lewis também me ajudou a ver isto.

Houve também outra página extremamente impactante, desta vez no seu livro *Reflections on the Psalms (Reflexões nos Salmos)*. Neste livro ele mostra que a própria natureza do louvor é o clímax do prazer naquilo que admiramos.

O fato mais óbvio com relação ao louvor quer seja a Deus ou a qualquer outra coisa – estranhamente me escapara... eu nunca havia percebido que todo o desfrutar transborda espontaneamente em louvor... amados louvando suas amadas, leitores seus poetas favoritos, caminhantes a paisagem... Minha dificuldade maior e mais geral sobre o louvor a Deus dependia de eu absurdamente negar, no que se refere ao Valor supremo, o que adoramos fazer, o que de fato não conseguimos evitar fazer, sobre tudo o mais que valorizamos. Penso que temos prazer em louvar o que desfrutamos porque o louvor não meramente expressa o prazer, mas o completa.[17]

Assim Lewis me ajudou a colocar as coisas em ordem. Buscar o prazer em Deus e louvá-Lo não são atos distintos. "O louvor não meramente expressa o prazer, mas o completa". A adoração não é adicionada ao prazer, e o prazer não é o resultado da adoração. A adoração é valorizar a Deus. E quando este valor é intenso, torna-se prazer e alegria em Deus. Portanto, a essência da adoração é o deliciar-se em Deus, que manifesta Seu valor supremo.

O apóstolo Paulo fincou minha busca pelo prazer cristão com seu testemunho em Filipenses 1. Aqui está a declaração bíblica mais clara de que *Deus é mais glorificado em nós quando estamos mais satisfeitos nEle*. Ele escreve de sua prisão em Roma:

> *Segundo a minha ardente*
> *expectativa e esperança,*
> *de que em nada serei confundido;*
> *antes, com toda ousadia,*
> *Cristo será, tanto agora como sempre,*
> *engrandecido no meu corpo,*
> *seja pela vida, seja pela morte.*
> *Porque para mim o viver é Cristo,*
> *e o morrer é lucro.*
>
> (Fp 1.20-21)

Então o seu objetivo é que Cristo seja "engrandecido", "magnificado", ou "glorificado" em seu corpo. Paulo quer que isto aconteça quer ele viva ou morra. Na vida e na morte, a sua missão é a de magnificar a Cristo – mostrar que Cristo é magnificente, glorificar a Cristo, mostrar que Ele é grande. Isto fica claro no verso 20 – que Cristo "será... engrandecido no meu corpo, seja pela vida, seja pela morte". A pergunta é: *Como* ele esperava que isto acontecesse?

Ele nos apresenta a resposta no verso 21: "Porque para mim o viver é Cristo, e o morrer é lucro". Perceba como "viver" e "morrer" no verso 21 correspondem a "vida" e "morte" no verso 20. A conexão entre os dois versos é que o verso 21 mostra a base de magnificar a Cristo ao viver e morrer.

Verso 20	Verso 21
Cristo será engrandecido	porque para mim
Seja pela vida	o viver é Cristo
Seja pela morte	e o morrer é lucro

Considere primeiro o par "morte" (verso 20) e "morrer" (verso 21): que Cristo seja engrandecido em meu corpo pela minha morte porque para mim o morrer é lucro. Reflita nisto. Cristo será engrandecido na minha morte, se para mim morrer for lucro. Você percebe o que isto significa com relação a como Cristo é magnificado? Cristo é magnificado pela morte de Paulo se a morte de Paulo for contada como lucro.

Por quê? Porque o próprio Cristo é o lucro. O verso 23 deixa claro: "[Meu] desejo [é o] de partir [isto é, morrer] e estar *com Cristo*, porque isto é ainda muito melhor". É isto o que a morte proporciona para os cristãos: ela nos leva a mais intimidade com Cristo. Nós partimos e estamos com Cristo, e isto é lucro. Quando você passa pela a morte desta forma, Paulo diz, Cristo é exaltado no seu corpo. Vivenciar Cristo como lucro na sua morte magnifica a Cristo. Esta é a essência da adoração no momento da morte.

Se você quer glorificar a Deus em sua morte, você deve considerar a morte lucro. Isto significa que Cristo deve ser a sua recompensa, o seu tesouro, o seu prazer. Ele deve ser uma satisfação tão profunda que quando a morte leva tudo o que você ama – mas te dá mais de Cristo – você considera isto lucro. Quando você está satisfeito em Cristo no morrer, Ele é glorificado na sua morte.

O mesmo se aplica à vida. Nós magnificamos a Cristo na vida, Paulo diz, ao vivenciar Cristo como nosso mais supremo tesouro. É isto o que ele quer dizer no verso 21 quando ele diz: "Para mim, o viver é Cristo". Nós sabemos disto porque em Filipenses 3.8 Paulo diz: "Tenho também como perda todas as coisas pela excelência do conhecimento de Jesus Cristo, meu Senhor; pelo qual sofri a perda de todas estas coisas, e as considero como refugo, para que possa ganhar a Cristo".

Então a questão que Paulo apresenta é que a vida e a morte, para o cristão, são atos de adoração – tanto a vida quanto a morte exaltam a Cristo e o magnificam; revelam e expressam Sua grandeza – quando são fruto de uma experiência interna de reputar Cristo como lucro. Cristo é louvado na morte ao ser estimado mais que a vida. E Cristo é mais glorificado em vida quando estamos mais satisfeitos nEle mesmo, antes da morte.

O denominador comum entre o viver e o morrer é que Cristo é o mais supremo tesouro que possuímos, quer vivamos ou morramos. Cristo é louvado ao ser desejado. Ele é magnificado como um tesouro glorioso quando Ele se torna nosso prazer sem par. Portanto, se vamos louvá-Lo e magnificá-Lo, não ousemos ser indiferentes quanto a se o valorizamos e encontramos prazer nEle. Se a honra de Cristo é a nossa paixão, a busca por prazer nEle é o nosso dever.

CAPÍTULO 3

AFEIÇÕES...
NÃO SÃO UMA OPÇÃO!

Talvez você perceba porque é espantoso para mim o fato de tantas pessoas tentarem definir o verdadeiro cristianismo em termos de decisões e não de afeições. Não que decisões não sejam essenciais. O problema é que elas requerem muito pouca transformação. Meras decisões não são evidências certas de uma obra da graça de Deus no coração. Pessoas podem tomar "decisões" sobre a verdade de Deus enquanto seus corações estão longe dEle.

Nós temos nos distanciado do cristianismo bíblico de Jonathan Edwards. Ele apontava para 1Pedro 1.8 e argumentava que "a verdadeira religião, em sua grande parte, consiste em afeições."[18]

> *Embora não o tendes visto, o amais; e embora não o vedes agora, credes nele e exultais com gozo inefável e cheio de glória.*
>
> (1Pe 1.8)

Por toda a Escritura existem mandamentos para sentir, não somente pensar ou decidir. Deus requer que experimentemos dezenas de emoções e não somente realizemos atos que requerem força de vontade.

Por exemplo, Deus nos manda não cobiçarmos (Êx 20.17). É óbvio que todo mandamento para não termos um determinado sentimento é também um mandamento para ter um outro sentimento. O oposto da cobiça é o contentamento, e é exatamente isso que nos é ordenado experimentar em Hebreus 13:5: "Contentando-vos com o que tendes".

Deus nos ordena a não guardarmos rancor (Lv 19.18). O lado positivo de não guardar rancor é perdoar "de coração". É isto o que Jesus nos ordena fazer em Mateus 18.35: "Assim vos fará também meu Pai celeste, se de coração não perdoardes, cada um a seu irmão, as suas ofensas". A Bíblia não nos diz para tomarmos uma decisão de deixarmos de lado a mágoa. Ela

> ESTAR SATISFEITO EM DEUS É O NOSSO CHAMADO E DEVER.

nos diz para experimentarmos uma mudança no coração. A Bíblia vai ainda mais longe, pedindo de nós certa intensidade. Por exemplo, 1Pedro 1.22 nos ordena: "Amai-vos *ardentemente* uns aos outros de coração". Romanos 12.10 diz: "Amai-vos cordialmente uns aos outros *com amor fraternal*".

Algumas pessoas ficam muitas vezes incomodadas com o ensinamento para se buscar o prazer cristão, de que os sentimentos fazem parte do nosso dever, que eles nos são ordenados. Isto parece estranho porque as emoções não estão sob o nosso controle imediato da mesma forma que a força de vontade está. Mas a busca pelo prazer cristão diz: "Considere as Escrituras". Emoções são ordenanças por toda a Bíblia.

As Escrituras ordenam alegria, esperança, temor, paz, tristeza, desejo, benignidade, quebrantamento e contrição, gratidão, humildade, dentre outros.[19] Portanto, a busca pelo prazer cristão não está dando atenção exagerada à emoção quando diz que estar satisfeito em Deus é nosso chamado e dever.

É verdade que muitas vezes nossos corações são preguiçosos. Nós não sentimos a profundidade ou intensidade dos sentimentos que são apropriados para Deus ou Sua causa. É verdade que nestes momentos precisamos exercitar a nossa força de vontade e tomar decisões que esperamos que reacendam a nossa alegria. Ainda que um amor sem alegria não seja o nosso objetivo ("Deus ama ao que dá com alegria" [2Co 9.7]; "O que exerce misericórdia, com alegria"

[Rm 12:8]), é melhor cumprir com um dever sem alegria do que não cumprir, desde que haja um espírito de arrependimento de que não cumprimos com todo o nosso dever por causa da lentidão dos nossos corações.

Frequentemente me perguntam o que um cristão deveria fazer se a alegria da obediência não existe. É uma boa pergunta. Minha resposta não é simplesmente a de que devemos prosseguir com nosso dever mesmo assim porque os sentimentos não importam. Os sentimentos são importantes! Minha resposta tem três passos. Primeiro, confesse o pecado da falta de alegria ("Desde o fim da terra clamo a ti, por estar abatido o meu coração; leva-me para a rocha que é mais alta do que eu" [Sl 61.2]). Reconheça a frieza do seu coração. Não diga que não importa como você se sente. Segundo, ore seriamente para que Deus restaure a alegria da obediência ("Deleito-me em fazer a tua vontade, ó Deus meu; a tua lei está dentro do meu coração" [Sl 40.8]). Terceiro, prossiga em fazer a dimensão externa do ser dever, na esperança de que o fazê-lo reacenderá o seu prazer em Deus.

Isto é muito diferente de dizer: "Faça a sua obrigação porque os sentimentos não contam". Estes passos supõem que a hipocrisia existe. Eles baseiam-se na crença de

> A CRIAÇÃO DE ALGUÉM QUE BUSCA PRAZER CRISTÃO É UM MILAGRE DA GRAÇA SOBERANA.

que o nosso objetivo é unir o prazer e o dever, e que a justificativa dessa separação é a justificativa do pecado.

Sim, torna-se cada vez mais evidente que a experiência do prazer em Deus ultrapassa o que o coração pecador consegue fazer. Vai contra a nossa natureza. Somos escravos do prazer em outras coisas (Rm 6.17). Nós não conseguimos simplesmente decidir ficar alegres sobre algo que achamos chato, desinteressante ou ofensivo como Deus. A criação de alguém que busca prazer cristão é um milagre da graça soberana. É por isso que Paulo disse que tornar-se cristão é o mesmo que ressuscitar ("Estando ainda mortos em nossos delitos, nos vivificou juntamente com Cristo" [Ef 2.5]). É por isso que Jesus disse que era mais fácil um camelo passar pelo fundo de uma agulha do que um homem rico parar de amar o seu dinheiro e começar a amar a Deus (Mc 10.25). Camelos não podem passar pelo fundo de agulhas, assim como homens mortos não podem se vivificar. Então, Jesus adiciona: "Para os homens é impossível, mas não para Deus; para Deus todas as coisas são possíveis" (Mc 10.27). Então, a busca pelo prazer cristão proporciona uma completa dependência da soberania de Deus. Ele nos ensina a ouvir o mandamento: "Deleita-te também no Senhor", e então a orar como Santo Agostinho: "Concede-me o que me ordenas, e ordenas o que quiseres".[20]

CAPÍTULO 4

BUSCAR O PRAZER EM DEUS MINA O ORGULHO E A AUTOCOMISERAÇÃO

Contra todo o orgulho humano, "Deus escolheu as coisas humildes do mundo, e as desprezadas... a fim de que ninguém se vanglorie na presença de Deus" (1Co 1.28-29). Qualquer visão da vida cristã que alega confirmação bíblica deve ser inimiga do orgulho. Este é um dos grandes valores da busca do prazer cristão. Ele mina o poder do orgulho.

O orgulho é o principal mal no universo. O Senhor não deixa dúvidas sobre como Ele se sente a respeito: "Odeio o orgulho e a arrogância..." (Pv 8.13 NVI).

A busca pelo prazer cristão combate o orgulho porque coloca o homem na categoria de vaso vazio debaixo da fonte de Deus. Filantropos podem se gabar. Os que dependem da ajuda do governo para suas necessidades básicas não podem. A principal experiência da busca pelo prazer cristão é de desamparo, desespero e anseio. Quando uma criança desamparada perde o chão por ser carregada pela corrente do mar numa praia e seu pai o pega na hora certa, ela não se gaba; ela abraça.

A natureza e profundidade do orgulho humano são iluminadas quando a vanglória é comparada à autocomiseração. Ambas são manifestações de orgulho. A vanglória é a resposta do orgulho ao sucesso. A autocomiseração é a resposta do orgulho ao sofrimento. A vanglória diz: "Eu mereço admiração porque eu alcancei tanto". A autocomiseração diz: "Eu mereço admiração porque eu sofri tanto". A vanglória é a voz do orgulho no coração do forte. A autocomiseração é a voz do orgulho no coração do fraco. A vanglória soa auto-suficiente. A autocomiseração soa sacrifical.

O motivo pelo qual a autocomiseração não parece orgulho é que ela parece tão carente. Mas esta carência vem de um ego ferido. Ela não vem de um senso de falta de valor, mas de um senso de valor que não foi reconhecido. É a resposta do orgulho não aplaudido.

Buscar o prazer cristão corta a autocomiseração pela raiz. As pessoas não sentem autocomiseração quando o sofrimento é aceito por causa de uma alegria futura.

> *Bem-aventurados sois quando, por minha*
> *causa, vos injuriarem, e vos perseguirem,*
> *e, mentindo, disserem todo mal contra vós.*
> *Regozijai-vos e exultai, porque é grande o vosso*
> *galardão nos céus; pois assim perseguiram aos*
> *profetas que viveram antes de vós*
>
> (MT 5.11-12).

Este é o machado que corta a autocomiseração pela raiz. Quando aqueles que buscam o prazer cristão têm de sofrer por causa de Cristo, eles não se valem de seus próprios recursos como se fossem heróis. Eles se tornam como criancinhas que confiam na força de seu pai e que querem a alegria de sua recompensa. Os maiores sofredores por Cristo sempre desviaram o louvor e a pena por testemunharem sua alegria em Cristo. Nós veremos isso especialmente na vida de missionários, no último capítulo deste livro.

É possível ver esse princípio funcionar continuamente na vida dos salvos. Eu conheci um professor de seminário, por exemplo, que guardava a porta da galeria de uma igreja. Uma vez, quando ele participava de um culto, o pastor o louvou pela sua disposição em servir neste papel tão despercebido mesmo tendo doutorado em teologia. O professor humildemente desviou e abrandou o louvor dirigido a ele ao citar o Salmo 84.10:

> *"Pois um dia nos teus átrios vale mais que mil;*
> *prefiro estar à porta da casa do meu Deus, a*
> *permanecer nas tendas da perversidade."*

Em outras palavras: "Não pense que eu estou superando grandes obstáculos da inclinação da minha carne para guardar as portas do santuário, como se fosse um herói. A Palavra de Deus diz que isto me trará grande alegria! Eu estou aumentando minha alegria em Deus". Nós não sentimos pena ou louvamos de forma excessiva àqueles que estão simplesmente fazendo aquilo que os tornará mais felizes. E mesmo quando vemos até isso como virtude, nossa admiração será desviada para o Tesouro que satisfaz nossas almas; não somente para a satisfação em si mesma. Desfrutar dAquele que pode ser desfrutado para sempre não é um grande feito. A não ser que estejamos espiritualmente mortos. Nesse caso, a solução é a ressurreição, e só Deus ressuscita os mortos. O que nos resta é respirar o doce ar da graça do lado de fora do túmulo.

Nós não sentimos pena ou louvamos de forma excessiva àqueles que estão simplesmente fazendo aquilo que os tornará mais felizes.

A maioria das pessoas reconhece que fazer algo porque os faz felizes – mesmo em nível horizontal – é uma experiência que traz humildade. Um homem de negócios, por exemplo, pode levar alguns amigos para jantar. Quando ele pega a conta, seus amigos começam a dizer quão bom é da parte dele pagar a conta para eles. Mas ele simplesmente levanta sua mão com um gesto de "pare". Daí, ele diz: "É um privilégio para mim". Em outras palavras, se eu fizer uma boa ação pelo prazer contido nela, o impulso do orgulho se quebra. A quebra desse impulso é a vontade de Deus, e é um dos motivos por que buscar o prazer cristão é tão essencial para a vida cristã.

Capítulo 5

Busque a sua alegria na alegria do Amado

Espero que esteja claro até agora que se alguém vem a Deus por dever, oferecendo a Ele a recompensa da sua companhia ao invés de ter sede da recompensa que a companhia dEle traz, essa pessoa estará então exaltando a si mesma acima de Deus como seu benfeitor e diminuindo-O como um beneficiário necessitado. Isso é mal.

A única maneira de glorificar a total suficiência de Deus é ir a Ele porque em Sua presença há plenitude de alegria e à Sua direita delícias perpetuamente (Sl 16.11). Nós podemos chamar isso de prazer cristão vertical. Entre o homem e Deus, no eixo vertical da vida, a busca pelo prazer não é somente tolerável; é obrigatória: "Deleita-te também no Senhor!". A razão de viver do homem é glorificar a Deus *ao* gozá-lo para sempre.

Mas o que acontece com o prazer cristão horizontal? E os relacionamentos com outros? Será a bondade desinteressada um ideal a ser alcançado? Ou será a busca pelo prazer apropriada e até mesmo obrigatória para todo o tipo de relacionamento humano que agrada a Deus?

Aquele que busca o prazer cristão responde: *A busca pelo prazer é uma intenção essencial para toda boa ação. Se você tem como objetivo abandonar a busca pelo prazer completo e eterno, você não será capaz de amar as pessoas ou agradar a Deus.*

Quando eu preguei sobre isso uma vez, um professor de filosofia escreveu uma carta para mim com a seguinte crítica:

> Não será a disputa pela moral justamente que façamos o bem pelo bem?... Devemos fazer o bem e realizar a virtude, sugiro eu, porque isso é bom e virtuoso. O fato de Deus abençoar-nos e nos fazer felizes é uma consequência, e não a razão para fazer o bem.

Outro escritor famoso disse: "Para o cristão, a felicidade nunca é um alvo a ser buscado. Ela é sempre uma surpresa inesperada de uma vida de serviço".

Essas citações representam a maré do senso comum contra a qual a busca pelo prazer cristão nada, a todo o momento. Esse tipo de pensamento é considerado por aqueles que anseiam pelo prazer cristão algo contrário às Escrituras, ao amor e, enfim, algo que desonra a Deus.

Sem dúvida vêm à mente passagens bíblicas que parecem dizer exatamente o oposto do que aqueles que almejam o prazer cristão afirmam. Por exemplo, no grande "capítulo do amor", o apóstolo Paulo diz que o amor "não procura os seus interesses" (1Co 13.5). Será que isto significa que demonstraríamos falta de amor ao termos prazer em fazer o bem?

De acordo com o profeta Miquéias, Deus não nos ordenou simplesmente sermos misericordiosos, mas amarmos a misericórdia: "Ele te declarou, ó homem, o que é bom e que é o que o SENHOR pede de ti: que pratiques a justiça, e ames a misericórdia, e andes humildemente com o teu Deus" (Mq 6.8). A obediência ao mandamento de "amar a misericórdia" significa que devemos desobedecer ao ensinamento de 1 Coríntios 13.5 de que o amor não "busca seus interesses" quando demonstramos misericórdia?

Não é isso o que Paulo está pensando. Sabemos que não é, porque no verso 3 ele, na verdade, nos motiva a amar ao ansiarmos por algum proveito: "E ainda que eu distribua todos os meus bens entre os pobres e ainda que entregue o meu próprio corpo para ser queimado, se não tiver amor, *nada disso me aproveitará*". Se o amor genuíno não ousa vislumbrar seu próprio proveito, não é estranho que Paulo nos advirta que não ter amor tirará de nós algum proveito que possamos ganhar?

Dando a Paulo o benefício da dúvida, deveríamos supor que existe um tipo de "proveito" ou "recompensa" que é errado buscar (daí "o amor não busca os seus interesses") e que existe outro tipo que é correto buscar (daí "se eu não tiver amor, *nada disso me aproveitaria*"). Qual seria esse proveito correto de se buscar? Jonathan Edwards nos dá uma resposta mais que adequada:

> De certa forma, a pessoa mais sincera e generosa do mundo busca sua própria felicidade em fazer o bem a outros, porque ela coloca a sua felicidade no bem do próximo. Sua mente é tão ampliada a ponto de tomar os outros para si. Portanto, quando os outros estão felizes, ela sente o mesmo; ela participa com eles e é feliz em sua felicidade.[21]

Em outras palavras, quando Paulo diz que "o amor não busca os seus próprios interesses", ele não quer dizer que o amor não se alegra em amar. Ao invés disso, ele quer dizer que o amor não buscará seu próprio conforto e alívio à custa de outros.

O valor moral de um ato de amor não é destruído quando somos motivados a fazê-lo por vermos o nosso próprio prazer nisso. Se assim fosse, um homem mau, que odiasse a expectativa de amar, poderia se dedicar ao amor puro já que ele não tiraria nenhum proveito disso, enquanto um homem bom, que tem prazer na expectativa de amar, não poderia amar já que ele teria a "recompensa" do prazer nisso, e, consequentemente, destruiria tudo.

Portanto, 1 Coríntios 13:5 (o amor "não procura os seus interesses") não é um obstáculo para a busca do prazer cristão. Do contrário, quando unido a 1 Coríntios 13:3 ("e ainda que entregue o meu próprio corpo para ser queimado, se não tiver amor, nada disso me aproveitará"), ele dá apoio e esclarece o anseio pelo prazer cristão: *A busca pelo proveito verdadeiro é uma intenção essencial para toda boa obra.*

O que seria esse "proveito verdadeiro"? Em 2 Coríntios 8 Paulo mostra que o amor genuíno sempre se refere a Deus como ganho. A situação nessa passagem é que as igrejas na Macedônia demonstraram amor verdadeiro pela forma com que elas responderam em generosidade ao apelo de Paulo pelos pobres em Jerusalém. Agora ele explica aos coríntios qual é a natureza desse amor.

Também, irmãos, vos fazemos conhecer a graça
de Deus concedida às igrejas da Macedônia;
porque, no meio de muita prova de tribulação,
manifestaram abundância de alegria, e a

> *profunda pobreza deles superabundou em
> grande riqueza da sua generosidade. Porque
> eles, testemunho eu, na medida de suas posses e
> mesmo acima delas, se mostraram voluntários,
> pedindo-nos, com muitos rogos, a graça de
> participarem da assistência aos santos*
>
> (2Co 8.1-4).

Sabemos que essa é uma descrição do amor porque no verso 8 Paulo diz: "Não vos falo na forma de mandamento, mas para provar, pela diligência de outros, a sinceridade do vosso *amor*". Então aqui temos um exemplo de como o amor de 1 Coríntios 13 é praticado em nossas vidas. Os macedônios deram suas posses, assim como em 1 Coríntios 13:3 também há doação de posses ("E ainda que eu distribua todos os meus bens entre os pobres"). Mas no caso dos macedônios a doação demonstrava amor verdadeiro, enquanto que no caso de 1 Coríntios 13:3 esse amor não é demonstrado. O que faz da generosidade dos macedônios um ato de amor genuíno?

A natureza do amor genuíno pode ser vista em quatro elementos:

- Primeiro, é uma obra da graça divina. "Também, irmãos, vos fazemos conhecer a graça de Deus concedida às igrejas da Ma-

cedônia" (2Co 8.1). A generosidade dos macedônios não era de origem humana. Era uma obra da graça em seus corações.
- Segundo, essa experiência da graça de Deus enchia os macedônios de alegria. "No meio de muita prova de tribulação, manifestaram abundância de alegria, e a profunda pobreza deles superabundou em grande riqueza da sua generosidade" (2Co 8.2). Sua alegria não era porque Deus os havia prosperado financeiramente. Ele não havia feito isso! Em meio a profunda pobreza eles tinham alegria. Portanto, essa alegria estava em Deus, e não nas coisas.
- Terceiro, a sua alegria na graça de Deus transbordou em generosidade para ir de encontro às necessidades de outros. "Manifestaram abundância de alegria, e a profunda pobreza deles superabundou em grande riqueza da sua generosidade" (2Co 8.2). Portanto, a liberalidade expressa de forma horizontal aos homens era um transbordar de alegria na graça de Deus.
- Quarto, os macedônios rogaram pela oportunidade de sacrificarem suas posses insuficientes pelos santos em Jerusalém. "Porque eles, testemunho eu, na medida de suas posses e mesmo acima delas, se mostraram voluntários, pedindo-nos, com muitos rogos, a graça de participarem da assistência aos santos" (2Co 8.3-4). A alegria deles em Deus transbordou através da alegria da doação. Era um prazer para eles!

Agora podemos dar uma definição de amor que leva Deus em consideração e que também inclui os sentimentos que deveriam acompanhar os atos externos de amor: *O amor é a expansão e o transbordar do prazer em Deus, que alegremente supre a necessidade de outros*. O amor não é meramente um transbordar passivo, mas uma extensão ativa, uma expansão e complemento do prazer em Deus, alcançando até mesmo os pobres em Jerusalém.

> O AMOR É A EXPANSÃO E O TRANSBORDAR DO PRAZER EM DEUS, QUE ALEGREMENTE SUPRE A NECESSIDADE DE OUTROS.

É por isso que uma pessoa pode entregar o seu corpo para ser queimado e não ter amor (1Co 13.3). O amor é o transbordar e a expansão do prazer *em Deus*! Não é o dever pelo dever, ou o certo pelo certo. Não é a determinação de abandonar o seu próprio bem vislumbrando somente o bem do outro. É, primeiro, uma experiência de satisfação profunda na riqueza da graça de Deus, e então uma experiência de satisfação dobrada de estender essa alegria em Deus para uma outra pessoa.

Os macedônios descobriram a tarefa árdua do prazer cristão: o amor! Ele é a expansão e o transbordar do prazer em Deus, que alegremente supre a necessidade de outros.

Espero que comece a ficar claro por que eu digo: se você tentar abandonar a busca da sua felicidade completa e duradoura, você não poderá amar as pessoas ou agradar a Deus. Se o amor é a expansão e o transbordar do prazer em Deus que alegremente supre a necessidade de outros, então abandonar a busca por esse prazer é abandonar a busca pelo amor! E Deus ama ao que dá com alegria, então abandonar a busca por essa alegria nos levará a um curso de vida que não agrada a Deus. Se formos indiferentes quanto a fazermos uma boa obra com alegria, estamos sendo indiferentes sobre o que agrada a Deus.

Portanto, é essencial que busquemos o prazer cristão de forma horizontal em nossos relacionamentos com outras pessoas e não somente no eixo vertical em nosso relacionamento com Deus. Se o amor é a expansão e o transbordar do prazer em Deus, que alegremente supre a necessidade das outras pessoas, e se Deus ama ao que dá com alegria, então essa alegria na doação é um dever cristão, e não buscá-lo é pecado.

***

Seria fácil interpretar mal o prazer cristão de forma a pensar que não há choro algum, pois a ênfase na alegria parece excluir a dor e a tristeza. Esse seria um grande erro. Paulo descreve a sua vida com a seguinte frase: "Entristecidos, mas sempre alegres" (2Co 6.10). Ele nos ordena: "Chorai com os que choram" (Rm 12.15). Quando ele pensa em seus compatriotas que estão perecendo, ele diz: "Tenho grande tristeza e incessante dor no coração" (Rm 9.2). Quando ele escreve às igrejas em pecado é "no meio de muitos sofrimentos e angústias de coração... com muitas lágrimas" (2Co 2.4).

O contentamento de alguém que anseia o prazer cristão não é uma serenidade mística, que não é movida pela dor de outros. Neste século caído e fútil, é um contentamento profundamente insatisfeito. É estar constantemente faminto por mais do banquete da graça de Deus. E até mesmo a medida de contentamento que Deus nos concede aqui e agora contém um impulso insaciável de se expandir a outros (2Co 8.4; 1Jo 1.4).

O prazer cristão se revela como um contentamento insatisfeito quando percebe a necessidade humana. Ele começa a se expandir em amor para preencher aquela necessidade e provocar a alegria da fé no coração do outro. Mas já que há sempre um obstáculo ou um tempo entre a nossa percepção da necessidade da pessoa e o nosso regozijo final na restauração da alegria dela, há um lugar para choro nesse intervalo. O choro da compaixão é o choro da alegria que é impedida de se expandir no outro.

Se nós não tivéssemos prazer algum no bem dos outros, não sentiríamos nenhuma dor quando o bem é impedido. Não se engane, o amor é uma busca intensa de satisfazermos nossos anseios mais profundos no bem (vindo de Deus) na vida do outro. O prazer cristão rejeita a filosofia atraente que diz: "Para o cristão, a felicidade nunca é um alvo a ser buscado. Ela é sempre a surpresa inesperada de uma vida de serviço".

Uma das razões bíblicas mais claras para rejeitar essa visão tão comum é quando Paulo cita as palavras de Jesus em Atos 20.35. Há muitas lágrimas quando Paulo termina sua despedida aos presbíteros de Èfeso. Ele diz: "Tenho-vos mostrado em tudo que, trabalhando assim, é mister socorrer os necessitados e recordar as palavras do próprio Senhor Jesus: Mais bem-aventurado é dar que receber".

Nós não sentiremos a força do prazer dessas palavras se não meditarmos na palavra *recordando*. Paulo não disse simplesmente que é mais bem-aventurado dar do que receber. Ele disse ser essencial em nosso trabalho árduo de amar *nos lembrarmos* disso. Lembre-se disso. Não esqueça. Deixe que isso te motive.

A maioria dos cristãos hoje concorda que há mais bênçãos em dar que em receber. Mas muitos têm dúvidas sérias sobre se essa verdade deveria ser o que nos *motiva*. Eles dizem que as bênçãos vêm como *resultado* da doação, mas que se elas forem a nossa motivação, isso destruiria o valor moral de nossa doação e nos tornaria mercenários. A palavra *recordando* em Atos 20.35 é um grande obstáculo a essa sabedoria popular. Por que Paulo diria aos presbíteros da igreja a *se lembrarem* das bênçãos alegres da doação se de fato fazer isso transformaria ministros em mercenários?

Eu não entendo como alguém pode honrar a palavra *recordar* em Atos 20.35 e ainda assim pensar que é errado buscar a recompensa da alegria no ministério. Do contrário, Paulo pensa ser necessário manter a alegria como alvo firme diante de nós. "*Lembrem-se!* Mais bem-aventurado é dar que receber".

Um dos motivos pelos quais Paulo falou dessa forma é porque o amor nos custa tão caro nesta vida que jamais poderíamos amar sem a esperança da alegria que está em Cristo nesta vida e além do túmulo. Paulo disse: "Se a nossa esperança em Cristo se limita apenas a esta vida, somos os mais infelizes de todos os homens" (1Co 15.19). Em outras palavras, uma vida de amor, com toda a dor e risco que estão envolvidos, seria uma vida tola se não houvesse recompensa depois da morte.

Paulo estava seguindo seu Mestre nessa mentalidade, pois Jesus tinha a mesma motivação para atos difíceis de amor: "Serás bem-aventurado, pelo fato de não terem eles [os pobres] com que recompensar-te; a tua recompensa, porém, tu a receberás na ressurreição dos justos" (Lc 14.14).

O amor custa caro. Ele sempre envolve algum tipo de abnegação neste mundo. "Quem ama a sua vida perde-a; mas aquele que odeia a sua vida *neste mundo* preserva-la-á para a vida eterna" (Jo 12.25). O amor custa a sua vida neste mundo. Mas no mundo por vir as alegrias da vida eterna são recompensa mais do que suficiente. O prazer cristão insiste que recompensas eternas ultrapassam a dor temporária. Este ensino afirma que existem tipos maravilhosos e raros de alegria que florescem apenas na atmosfera chuvosa do sofrimento. "A alma não teria arco-íris se os olhos não tivessem lágrimas".[22] O autor da carta aos Hebreus ensinou isso com uma clareza implacável.

Como pode alguém se compadecer de prisioneiros quando o preço disso pode ser o confisco dos seus próprios bens? Aqui está a resposta da igreja do primeiro século: "Porque não somente vos compadecestes dos encarcerados, como também aceitastes com *alegria* o espólio dos vossos bens, tendo ciência de possuirdes vós mesmos patrimônio superior e durável" (Hb 10.34).

Nos primeiros dias de sua conversão, alguns cristãos eram presos por sua fé. Os outros se encontravam em uma situação difícil. Eles precisavam decidir: iremos para locais subterrâneos para ficarmos "seguros", ou visitaremos nossos irmãos e irmãs na prisão, arriscando nossas vidas e bens? Eles escolheram o caminho do amor e aceitaram correr o risco. "Não somente vos compadecestes dos encarcerados, como também aceitastes com *alegria* o espólio dos vossos bens". A chave para o amor deles era a alegria.

Mas de onde vinha essa alegria? A resposta é: "Tendo ciência de possuirdes vós mesmos patrimônio superior e durável". A palavra *sabendo* funciona como a palavra *recordando* em Atos 20.35: "E *recordar* as palavras do próprio Senhor Jesus: Mais bem-aventurado é dar que receber". Era *saber* que Deus oferecia a eles uma recompensa *superior* e *permanente* que libertava os cristãos para correr riscos por amor. O poder do amor era alimentado pela busca de um prazer superior e permanente.

O autor reforça o seu argumento com o exemplo de Moisés em Hebreus 11:

> *Pela fé, Moisés, quando já homem feito, recusou*
> *ser chamado filho da filha de Faraó, preferindo*
> *ser maltratado junto com o povo de Deus a*
> *usufruir prazeres transitórios do pecado;*
> *porquanto considerou o opróbrio de Cristo por*
> *maiores riquezas do que os tesouros do Egito,*
> *porque contemplava o galardão*
> (VERSOS 24-26).

Moisés é um herói da fé para a igreja porque sua alegria na recompensa que estava prometida fazia com que ele considerasse os prazeres do Egito insignificantes. Eles eram pequenos e curtos demais comparados à recompensa. Essa busca pela recompensa completa e permanente da alegria de Cristo ligava Moisés a Israel para sempre, através do amor. Ele suportou incrível sofrimento a serviço do povo de Deus enquanto ele poderia ter tido uma vida de conforto no Egito. O poder do amor estava na busca por prazeres superiores na presença de Deus ao invés dos prazeres passageiros do pecado no Egito.

Mas o autor de Hebreus guardou o exemplo mais surpreendente para o final. O que teria sustentado o maior ato de amor já realizado na história da humanidade, a morte agonizante de Jesus em nosso lugar? A resposta é a mesma: "Olhando firmemente para o Autor e Consumador da fé, Jesus, o qual, *em troca da alegria que lhe estava proposta*, suportou a cruz" (Hb 12:2).

A prova de amor mais árdua da história foi possível porque Jesus buscou a maior alegria imaginável – a alegria de ser exaltado à destra de Deus no ajuntamento de um povo redimido. Pela alegria que lhe estava proposta, Ele suportou a cruz!

Aqueles que buscam o prazer cristão estão absolutamente comprometidos a amar como Jesus. Nós não supomos viver por motivos maiores do que Ele viveu. O que impede o amor no mundo hoje? É porque estamos todos tentando agradar a nós mesmos? *Não!* É porque contentamo-nos com muito pouco.

A mensagem que precisa ser anunciada pra todo o mundo é: Escute! Você não busca o prazer com persistência! Você se contenta com muito pouco. Você é como uma criança fazendo bolinhos de areia numa favela, porque não consegue imaginar o que significa um convite para passar as férias na praia. Pare de ajuntar tesouros na terra, onde a traça e a ferrugem destroem e onde os ladrões arrombam e roubam. Ajunte para si tesouros no céu! (Mt 6.19-20).

> PARE DE SE CONTENTAR COM MÍSEROS DOIS POR CENTO DE LUCRO DE PRAZER QUE SÃO DESTRUÍDOS PELAS TRAÇAS DA INFLAÇÃO E PELA FERRUGEM DO INFERNO.

Pare de se contentar com míseros dois por cento de lucro de prazer que são destruídos pelas traças da inflação e pela ferrugem do inferno. Invista nas garantias do céu, que são divinamente asseguradas e certas de produzirem um lucro alto. Entregar a sua vida ao conforto material e às emoções da vida é como deixar o dinheiro descer pelo ralo. Mas uma vida que investe na tarefa árdua de amar produz lucros de alegria incalculáveis e infinitos – mesmo que isso custe seus bens e sua vida nesta terra.

Venha para Cristo, pois em Sua presença há plenitude de alegria e delícias perpetuamente. Junte-se ao trabalho de buscar o prazer cristão, pois o Senhor do céu e da terra, Jesus Cristo, disse que amar traz mais felicidade do que viver com luxo!

***

Até aqui nós vimos um breve rascunho do estilo de vida do que considero a busca pelo prazer cristão. Tenho tentado oferecer um rápido olhar do que isso significa verticalmente em relação a Deus e horizontalmente em relação ao homem – que ele é essencial para toda adoração e virtude verdadeiras. O anseio pelo prazer cristão glorifica a Deus, mina o orgulho, apreende as emoções do coração e carrega consigo o preço do amor. Tenho tentado mostrar que ele é inteiramente bíblico e antigo, mas ao mesmo tempo radical e controverso.

Agora pretendo ilustrar algumas implicações práticas dessa visão em quatro áreas da vida e ministério: a adoração da igreja, o casamento, o dinheiro e missões. Se essa visão é verdadeira, então o fruto de todas essas áreas deve ser a glória de Deus e a santidade do Seu povo.

Capítulo 6

O que isso significa na adoração?

A revolta moderna contra o anseio pelo prazer cristão tem matado o espírito de adoração em muitas igrejas e muitos corações. A noção difundida por vários lugares de que atitudes corretas devem estar desprovidas de interesse pessoal é a grande inimiga da verdadeira adoração. A adoração é a ação mais virtuosa que um ser humano pode realizar; portanto, a única motivação que muitas pessoas podem imaginar para ela é a noção da realização de uma obrigação de forma desprendida. Mas quando a adoração é reduzida a uma obrigação sem expectativa de ganhos ou compensações, ela deixa de ser adoração. Pois a adoração é o banquete das perfeições gloriosas de Deus em Cristo.

Deus não é honrado quando celebramos os maravilhosos dias de nosso relacionamento com Ele por causa de um simples senso de dever. Ele é honrado quando aqueles dias são o nosso prazer! Portanto, para honrar a Deus na adoração nós não devemos buscá-lo desinteressadamente, com medo de receber algum prazer na adoração e assim destruir seu valor moral. Ao invés disso, devemos buscá-lo de forma prazerosa, do mesmo modo que a corça anseia pelas correntes das águas, exatamente pelo prazer de ver e deliciar-se em Deus! A adoração é simplesmente a obediência ao mandamento de Deus: "Deleita-te no SENHOR" (Sl 37.4 NVI).

A noção equivocada do que é virtude sufoca o espírito da adoração. A pessoa que tem uma convicção ainda que vaga de que superar seus interesses pessoais é uma virtude e que buscar o prazer é um defeito, raramente conseguirá adorar. Pois a adoração é a atividade mais prazerosa da vida e não deve ser destruída por sequer um pensamento de desinteresse. O grande obstáculo à adoração não é o de que somos pessoas que buscam o prazer, mas de que estamos dispostos a nos contentarmos com prazeres medíocres.

Todos os domingos às 11:00 da manhã, o versículo de Hebreus 11:6 entra em combate com o conceito geral de que não buscar seus interesses pessoais é uma virtude: "De fato, sem fé é impossível agradar a Deus, porquanto é necessário que aquele que se aproxima de Deus creia que *ele existe e que se torna galardoador dos que o buscam*". Não é possível agradar a Deus sem buscar gratificação nEle! Portanto, a adoração que agrada a Deus é a busca prazerosa por Deus. Ele é a recompensa, que supera a grandeza de tudo o mais. Na Sua presença há plenitude de alegria, e à sua destra *delícias* perpetuamente. Satisfazer-se com tudo o que Deus é para nós em Jesus é a essência da experiência de adoração autêntica. A adoração é o banquete do prazer cristão.

Considere três implicações da adoração na igreja.

Primeiro, o verdadeiro diagnóstico da adoração fraca *não é* o de que as pessoas vêm para receber e não para dar. Muitos pastores corrigem seus membros, dizendo que os cultos de adoração seriam mais vivos se as pessoas viessem para dar ao invés de receber. Mas existe um diagnóstico melhor.

As pessoas *devem* vir para os cultos nas igrejas para receber. Elas devem vir famintas por Deus. Elas devem vir dizendo: "Como suspira a corça pelas correntes das águas, assim, por ti, ó Deus, suspira a minha alma" (Salmo 42:1). Deus é profundamente honrado quando as pessoas sabem que morrerão de fome e sede se não tiverem a Deus. E é o meu trabalho como pastor estender um banquete para eles. Eu preciso mostrar para as pessoas, através das Escrituras, do que têm fome – Deus – e daí alimentá-las até que estejam satisfeitas. Isto é adoração.

Segundo, encarar a essência da adoração como satisfação em Deus fará a adoração da igreja algo radicalmente centrado em Deus.

Nada faz de Deus mais supremo e primordial do que as pessoas estarem absolutamente convencidas de que nada – nem mesmo dinheiro, prestígio, lazer, família, emprego, saúde, esportes ou amigos – trará satisfação a seus corações doentes a não ser Deus. Essa convicção produz pessoas que buscam a Deus com paixão aos domingos pela manhã.

Se o foco muda para o quanto oferecemos para Deus, ao invés de Ele se doar para nós, um dos resultados é que de repente não é mais Deus que permanece no centro, mas sim a qualidade do que oferecemos para Ele. Estamos cantando de forma digna ao Senhor? Os nossos instrumentistas estão tocando com uma qualidade adequada para ofertar ao Senhor? A pregação é uma oferta apropriada ao Senhor? Tudo isso soa nobre no início, mas aos poucos o foco muda da absoluta necessidade do próprio Deus para a qualidade de nossas realizações. Começamos até a reduzir a excelência e poder na adoração às técnicas artísticas usadas.

Nada faz de Deus mais essencial do que a convicção bíblica que a essência da adoração é uma satisfação profunda em Deus que vem do coração, juntamente com a convicção de que o motivo pelo qual estamos juntos nos cultos de adoração é a busca por essa satisfação.

Terceiro, o anseio pelo prazer cristão protege a importância da adoração ao nos fazer enxergar que o ato essencial do coração na adoração é um fim em si mesmo.

Se a essência da adoração é a satisfação em Deus, então a adoração não pode ser um meio para mais nada. Não podemos dizer para Deus: "Quero me satisfazer em Ti para ter uma outra coisa". Isto significaria que não estamos satisfeitos em Deus, mas em outra coisa. E isso desonraria a Deus ao invés de adorá-Lo.

> SE A ESSÊNCIA DA ADORAÇÃO É A SATISFAÇÃO EM DEUS, ENTÃO A ADORAÇÃO NÃO PODE SER UM MEIO PARA MAIS NADA.

Mas, de fato, para muitas pessoas e muitos pastores, o acontecimento da "adoração" aos domingos pela manhã é tido como um meio de realizar outra coisa que não a adoração em si. Nós "adoramos" para levantar recursos; nós "adoramos" para atrair as multidões; nós "adoramos" para sarar as feridas das pessoas; nós "adoramos" para convocar trabalhadores; nós "adoramos" para elevar o moral da igreja; nós "adoramos" para dar a músicos talentosos a oportunidade de cumprirem sua vocação; nós "adoramos" para ensinar às crianças o caminho da justiça; nós "adoramos" para colaborar para que casais não se separem;

nós "adoramos" para evangelizar os perdidos em nosso meio; nós "adoramos" para dar às nossas igrejas um sentimento de que somos a família de Deus, etc.

Em tudo isso nós diminuímos a Deus e a adoração. Sentimentos sinceros por Deus são um fim em si mesmos. Eu não posso dizer à minha esposa: "Eu sinto um grande prazer ao estar com você – para que você cozinhe uma deliciosa refeição para mim". Não é dessa forma que o prazer para com a minha esposa funciona. Ele termina nela. Ele não tem em vista uma refeição deliciosa. Eu não posso dizer para o meu filho: "Eu amo jogar bola com você – para que você depois corte a grama do nosso jardim". Se o meu coração realmente tem prazer em jogar bola com ele, isso não pode ser realizado como um meio de ele fazer algo para mim.

Eu não nego que a centralidade da adoração comunitária tenha milhares de resultados maravilhosos na vida da igreja. Assim como sentimentos sinceros melhoram um casamento, assim a adoração genuína também melhora a vida da igreja. O que quero dizer é que se adorarmos por esses outros motivos, a adoração deixa de ser autêntica. Manter a satisfação em Deus como algo primordial nos protege dessa desgraça.

Capítulo 7

O que isso significa no casamento?

A razão de existir tanta infelicidade no casamento não é que maridos e mulheres têm buscado seu próprio prazer, mas que eles não o buscam no prazer de seus cônjuges. O mandamento bíblico para esposos e esposas é o de buscar seu próprio prazer no prazer de seu cônjuge. Veja como o casamento é a base para o prazer cristão.

Não há quase nenhuma outra passagem que destaca mais o prazer na Bíblia do que a de Efésios 5.25-30, sobre casamento:

Maridos, amai vossa mulher, como também
Cristo amou a igreja e a si mesmo se entregou
por ela, para que a santificasse, tendo-a

> *purificado por meio da lavagem de água pela palavra, para a apresentar a si mesmo igreja gloriosa, sem mácula, nem ruga, nem coisa semelhante, porém santa e sem defeito. Assim também os maridos devem amar a sua mulher como ao próprio corpo. Quem ama a esposa a si mesmo se ama. Porque ninguém jamais odiou a própria carne; antes, a alimenta e dela cuida, como também Cristo o faz com a igreja; porque somos membros do seu corpo.*

Essa passagem ordena aos maridos que amem suas esposas da forma que Cristo amou a igreja. Como Ele amou a igreja? Ele "a si mesmo se entregou por ela". Mas por quê? "Para a santificar, purificando-a". Mas por que Ele quis fazê-lo? "A fim de apresentá-la a si mesmo igreja gloriosa".

Aí está! "Em troca da alegria que lhe estava proposta, suportou a cruz" (Hb 12:2). Que alegria? A alegria do casamento com Sua noiva, a igreja. Jesus não quer uma igreja suja e impura. Portanto, Ele estava disposto a morrer para "santificar e

> O MANDAMENTO BÍBLICO PARA ESPOSOS E ESPOSAS É O DE BUSCAR SEU PRÓPRIO PRAZER NO PRAZER DE SEU CÔNJUGE.

purificar" sua noiva para que Ele pudesse apresentar a Si mesmo uma esposa "gloriosa".

E qual é a principal alegria da igreja? Não será a de ser lavada e santificada, e então apresentada como noiva ao soberano e glorioso Cristo? Então Cristo buscou seu próprio prazer, sim – mas Ele o buscou no prazer da igreja! É isso o que o amor faz: ele busca o seu próprio prazer no prazer do amado.

Em Efésios 5.29-30, Paulo leva o prazer de Cristo ainda mais longe: "Porque ninguém jamais odiou a própria carne; antes, a alimenta e dela cuida, como também Cristo o faz com a igreja; porque somos membros do seu corpo". Por que Cristo alimenta e sustenta a igreja? Porque somos membros do Seu corpo, e ninguém odeia o seu próprio corpo. Em outras palavras, a união entre Cristo e a Sua igreja é tão íntima ("uma só carne") que qualquer bem feito a ela é um bem feito a ele. A declaração flagrante desse texto é que isso motiva o Senhor a alimentar, sustentar, santificar e purificar sua noiva.

Isso não pode ser amor com base em algumas definições conhecidas. Diz-se que o amor não busca seus próprios interesses – principalmente o amor cristão; principalmente o amor do Calvário. Eu nunca vi esse conceito de amor condizer com essa passagem das Escrituras. Esse texto claramente considera o que Cristo faz pela Sua noiva como amor: "Maridos, amai vossa mulher, como também Cristo amou a igreja".

Por que não deixar o texto definir para nós o que é amor ao invés de trazermos nossas definições da ética ou da filosofia?

De acordo com esse texto, o amor é a busca pela nossa alegria na alegria santa do amado. Não há como excluir o interesse próprio do amor; mas interesse próprio é diferente de egoísmo. O egoísmo busca sua própria felicidade particular à custa dos outros. O amor busca a sua própria felicidade *na* alegria do outro. Ele é capaz até mesmo de sofrer e morrer pelo amado para que sua alegria seja completa na vida e santidade do amado.

Para um marido ser obediente, ele deve amar sua esposa como Cristo amou à igreja. Isto é, ele deve buscar sua própria alegria na alegria santa de sua esposa: "Assim devem os maridos amar a suas próprias mulheres, como a seus próprios corpos. Quem ama a sua mulher, ama-se a si mesmo" (verso 28). Em outras palavras, o mesmo tempo, energia e criatividade que os maridos naturalmente dedicam para se fazerem felizes é o que eles devem dedicar para fazer suas esposas felizes. O resultado será que, ao fazer isso, eles vão fazer felizes a si mesmos. Pois o que ama a sua mulher, ama-se a si mesmo. Já que a mulher e o marido são uma só carne, o mesmo se aplica ao amor dela por ele.

> EXIBA A GLÓRIA DE CRISTO AO BUSCAR SEU PRAZER NO PRAZER SANTO DO SEU AMADO.

Paulo não cria uma represa contra o rio do prazer; ele cria um canal para ele. Ele diz: "Maridos e esposas, reconheçam que no casamento vocês se tornaram uma só carne. Se vocês viverem para seu prazer particular à custa do seu cônjuge, vocês vão viver contra si mesmos e destruir seu prazer. Mas se vocês se dedicarem de todo seu coração ao prazer santo do seu cônjuge, vocês estarão vivendo para o seu prazer também e vivenciando um casamento de acordo com a imagem de Cristo e Sua igreja". É isto o que Deus planejou para o casamento: expor a glória de Cristo ao buscar seu prazer no prazer santo do seu amado.

CAPÍTULO 8

O QUE ISSO SIGNIFICA NAS FINANÇAS?

O dinheiro é a moeda do prazer cristão. O que você faz (ou deseja fazer) com ele pode trazer ou acabar com a sua felicidade para sempre. A Bíblia deixa claro que o que pensamos sobre o dinheiro pode nos destruir: "Ora, os que querem ficar ricos caem em tentação, e cilada, e em muitas concupiscências insensatas e perniciosas, as quais afogam os homens na ruína e perdição" (1Tm 6.9).

Essa passagem nos ensina a usar o nosso dinheiro de uma forma que nos trará o maior e mais duradouro lucro. Ela promove a busca pelo prazer cristão. Ela confirma que não é somente permitido, mas ordenado por Deus que fujamos da destruição e busquemos nosso prazer completo e eterno. Ela infere que todos os males do mundo ocorrem não porque nosso desejo por felicidade é forte demais, mas porque ele é tão fraco que nós nos contentamos por prazeres fugazes que o dinheiro pode comprar, que ao invés de satisfazerem nossos anseios mais profundos, no fim das contas, destroem a nossa alma. A raiz de todos os males é que somos uma raça que se contenta com o amor ao dinheiro ao invés do amor a Deus (1Tm 6.10).

1 Timóteo 6:5-10 é tão essencial que devemos meditar nessa passagem mais detalhadamente. Paulo adverte Timóteo quanto a:

> *Altercações sem fim, por homens cuja mente é pervertida e privados da verdade, supondo que a piedade é fonte de lucro. De fato, grande fonte de lucro é a piedade com o contentamento. Porque nada temos trazido para o mundo, nem coisa alguma podemos levar dele. Tendo sustento e com que nos vestir, estejamos contentes. Ora, os que querem ficar ricos caem em tentação, e cilada, e em muitas concupiscências insensatas e perniciosas, as quais afogam os homens na ruína e perdição. Porque o amor do dinheiro é raiz de todos os males; e alguns, nessa cobiça, se desviaram da fé e a si mesmos se atormentaram com muitas dores.*

Ou seja, cuidado com enganadores astutos que descobriram que podem faturar com a piedade. De acordo com o verso 5, essas pessoas tratam a piedade como fonte de lucro. Eles são tão viciados em dinheiro que a verdade tem um lugar pequeno em seus corações. Eles não "se regozijam com a verdade". Eles se regozijam em fugir dos impostos. Eles estão dispostos a usar qualquer tipo de novidade para ganhar uma grana. Se o rendimento é grande, não importa se a propaganda é enganosa. Se a piedade é o que está em alta, então é isso o que eles vão vender.

Paulo poderia ter respondido a este esforço por lucrar com a piedade dizendo: "Os cristãos fazem o que é certo e pronto. A motivação dos cristãos não é o lucro". Mas *não* foi isso o que Paulo disse. Ele disse: "De fato, grande fonte de lucro é a piedade com o contentamento" (verso 6). Ao invés de dizer que os cristãos não vivem para lucrar, ele disse que os cristãos devem viver para um lucro *superior* àquele dos enganadores que amam o dinheiro. A piedade é o caminho para conseguir esse lucro superior, mas só se nos contentarmos com a simplicidade ao invés da ganância por riquezas. "De fato, grande fonte de lucro é a piedade *com o contentamento*".

a sua piedade tem te libertado do desejo de ser rico e te ajudado a estar contente com o que você tem, então a sua piedade é altamente rentável. "Pois o exercício físico para pouco é proveitoso, mas a piedade para tudo é proveitosa, porque tem a promessa da vida que agora é e da que há de ser" (1Tm 4.8). A piedade que supera a necessidade por bens materiais produz grandes riquezas espirituais. O que o verso 6 quer dizer é que é bastante vantajoso não buscar as riquezas.

O que se segue nos versos 7 a 10 são três razões pelas quais não devemos buscar as riquezas.

Mas antes, deixe-me esclarecer algo. Muitos negócios genuínos dependem de grandes concentrações de capital. Não é possível construir uma nova fábrica de produção que emprega milhares de pessoas e gera mercadorias, sem milhares de dólares em ações. Portanto, os administradores da área financeira têm a responsabilidade de guardar reservas.

Quando a Bíblia condena o desejo de enriquecer, ela não está necessariamente condenando um negócio em vistas de expandir-se, que por isso busca reservas maiores em capital. Os administradores do negócio podem ser gananciosos por mais ganhos pessoais ou, ao invés disso, ter motivos maiores e mais nobres de como a sua expansão produtiva trará benefícios às pessoas.

Mesmo quando um homem de negócios competente aceita um aumento ou um emprego que paga um salário mais alto, isso ainda assim não é suficiente para condená-lo pelo desejo de ser rico. Ele pode ter aceitado o emprego porque ele deseja poder, status e luxo. Ou ele pode estar feliz com o que tem, pretendendo usar o dinheiro extra para fundar uma agência de adoção, doar bolsas escolares, enviar missionários ou sustentar um ministério nas favelas.

Trabalhar para ganhar dinheiro pela causa de Cristo não é a mesma coisa que desejar ser rico. O que Paulo está nos advertindo não é contra o desejo de ganhar dinheiro para suprir nossas necessidades e as necessidades de outros. Ele está nos advertindo contra o desejo de *ter* mais e mais dinheiro para que ele forneça uma massagem no ego e traga o luxo material.

Vamos examinar as três razões que Paulo apresenta nos versos 7 a 10 do por que nós não devemos pretender ser ricos.

Primeiro, no verso 7 ele diz: "Porque nada temos trazido para o mundo, nem coisa alguma podemos levar dele". Nós não vemos um caminhão de mudança seguindo o cortejo fúnebre.

Aquele que dá tudo de si para ficar rico nesta vida é um tolo. Ele não está em sintonia com a realidade. Ele vai voltar da mesma maneira que veio. Imagine milhares de pessoas entrando na eternidade, vindo de um acidente de avião no mar do Japão. Elas estão diante de Deus absolutamente desprovidas de cartões de crédito, cheques ou reservas nos hotéis Hilton. Ali estão políticos, executivos, mulherengos, filhos de missionários, todos na mesma situação, sem nada em suas mãos, tendo somente o que trouxeram em seus corações. Aquele que tem amor ao dinheiro parecerá extremamente absurdo e trágico naquele dia.

Não gaste a sua vida preciosa tentando ficar rico, como diz Paulo: "Porque nada temos trazido para o mundo, nem coisa alguma podemos levar dele".

Segundo, no verso 8 Paulo acrescenta mais uma razão para não buscarmos a riqueza: "Tendo sustento e com que nos vestir, estejamos contentes". Os cristãos podem e devem estar contentes com as coisas básicas da vida. Quando você tem Deus perto de você e por você, você não precisa de mais dinheiro para te trazer paz e segurança. Hebreus 13:5-6 deixa bem claro:

> *Seja a vossa vida sem avareza. Contentai-*
> *vos com as coisas que tendes; porque ele tem*
> *dito: De maneira alguma te deixarei, nunca*
> *jamais te abandonarei. Assim, afirmemos*
> *confiantemente: O Senhor é o meu auxílio, não*
> *temerei; que me poderá fazer o homem?*

Não importa em que direção o mercado de ações está indo, Deus é sempre melhor que o ouro. Suas promessas ajudam a minar as cordas que nos prendem ao amor ao dinheiro.

A terceira razão para não buscarmos a riqueza é que isso acabará por destruir sua vida. É isso o que os versos 9 e 10 dizem:

> *Ora, os que querem ficar ricos caem em tentação, e cilada, e em muitas concupiscências insensatas e perniciosas, as quais afogam os homens na ruína e perdição. Porque o amor do dinheiro é raiz de todos os males; e alguns, nessa cobiça, se desviaram da fé e a si mesmos se atormentaram com muitas dores.*

Ninguém que busca o prazer cristão quer mergulhar na ruína e destruição e ser traspassado com muitas dores. Portanto, ninguém que busca o prazer cristão quer ficar rico. Ao invés disso, queremos usar o nosso dinheiro para expandir a nossa alegria da forma que Jesus nos ensinou. Jesus não é contra o investimento. Ele é contra o que é mal-investido, como por exemplo, colocar nossos corações no conforto e segurança que o dinheiro pode trazer nesse mundo. O dinheiro é para ser investido em eternos dividendos no céu: "Ajuntai tesouros no céu". Mas como?

Lucas 12.32-34 nos dá uma resposta:

> *Não temais, ó pequenino rebanho; porque vosso Pai se agradou em dar-vos o seu reino. Vendei os vossos bens e dai esmola; fazei para vós outros bolsas que não desgastem, tesouro inextinguível*

> *nos céus, onde não chega o ladrão, nem a traça consome, porque, onde está o vosso tesouro, aí estará também o vosso coração.*

Portanto, a resposta de como armazenar tesouros no céu é gastar seus tesouros terrenos em propósitos de misericórdia no nome de Jesus aqui na terra. Dê para os que têm necessidade – é assim que preparamos tesouros no céu. Perceba como Jesus não diz que tesouros no céu são meramente o resultado inesperado da generosidade aqui na terra. Ele diz que nós devemos buscar tesouros no céu. Ele nos manda armazená-los! "Fazei para vós outros bolsas que não desgastem, tesouro inextinguível nos céus"! Isso é prazer cristão puro.

Deus não é glorificado quando guardamos para nós mesmos (embora muito agradecidos) aquilo que deveríamos usar para aliviar a miséria de milhões que precisam de evangelização, educação, medicamentos e alimento. O fato de darmos muito pouco, comparado ao quanto nós temos, é uma evidência de que muitos daqueles que se entendem por cristãos têm sido enganados pelo materialismo ocidental. A lei do consumismo é tão irresistível que temos comprado mais e mais casas (e maiores), mais e mais carros (e mais novos), mas e mais roupas (e mais extravagantes), mais e mais alimento (e melhor) e toda sorte de bugigangas, quinquilharias, vasilhas, aparelhos e equipamentos para tornar a vida mais divertida.

Alguns cristãos protestam, pensando: "Mas a Bíblia não promete que Deus prosperará o Seu povo?" Mas é claro! Deus aumenta o nosso lucro para que provemos, através de nossas doações, que o dinheiro não é o nosso deus. Deus não prospera um negócio para que alguém mude de um Ford para uma BMW. Deus prospera um negócio para que milhares de povos não-alcançados sejam alcançados com o evangelho. Ele prospera um negócio para que 20 por cento da população mundial fique menos faminta.

A vida é como uma guerra. São milhares de perdas e o que está em jogo é eterno. O que precisamos hoje não é uma chamada à simplicidade, mas uma chamada à guerra. Precisamos pensar em termos de "um estilo de vida de tempos de guerra" ao invés de "um estilo de vida simples". Tenho usado a frase "o que é necessário para viver", porque Paulo diz em 1 Timóteo 6.8: "Tendo sustento e com que nos vestir, estejamos contentes". Mas o que quero dizer com "necessário" pode ser mal interpretado. Refiro-me a um estilo de vida livre de tudo aquilo que não é essencial. E o critério para o que é "essencial" não deve ser uma mera simplicidade, mas o que é estritamente necessário em tempos de guerra.

O missionário Ralph Winter, um visionário, ilustra essa idéia de um estilo de vida de tempos de guerra:

O navio Queen Mary, ancorado em repouso no porto de Long Beach, na Califórnia, é um museu fascinante. Usado como um luxuoso navio de linha regular em tempos de paz e como transporte de tropas durante a II Guerra Mundial, no momento, está na condição de museu; com o comprimento de três estádios de futebol de americano. Isso demonstra um contraste espantoso entre os estilos de vida adequados para os tempos de paz e de guerra. De um lado do navio vemos uma sala de jantar reconstruída de acordo com as regras de etiqueta de mesa adequadas aos clientes ricos, acostumados a uma deslumbrante ornamentação de talheres. Do outro lado, vemos, em contraste, evidências da austeridade exigida em tempos de guerra. Ao invés de quinze pratos e baixelas, vemos uma bandeja destroçada. Ao invés de três mil pessoas a bordo, em tempos de paz, vemos inúmeros beliches de oito camas cada, que dão repouso a quinze mil pessoas em tempos de guerra. Tal transformação deve ter sido repugnante aos ricos dos tempos de paz! É claro que foi necessária uma emergência para empreender tal façanha; a sobrevivência de uma nação dependia disso. A essência da Grande Comissão é que a sobrevivência de milhões de pessoas depende do seu cumprimento.[23]

A vida é uma guerra. Toda essa conversa do direito do cristão de viver uma vida de luxos como "filho do Rei", numa atmosfera como essa, parece vazia – principalmente se levarmos em conta que o próprio Rei esvaziou-se de si mesmo para a batalha.

A mensagem do prazer cristão soa bem clara em 1 Timóteo 6. Esta passagem, cujo foco é o dinheiro, tem como objetivo nos ajudar a nos apropriarmos da vida eterna. Ela nos adverte contra o desejo de ficarmos ricos (verso 9). "Combate o bom combate da fé. Toma posse da vida eterna" (verso 12). Paulo não se ocupa com o que é supérfluo. Ele vive na iminência da eternidade; é por isso que ele enxerga as coisas de maneira tão clara.

Você quer um "sólido fundamento para o futuro" (verso 19)? Você quer todo o lucro que a piedade pode trazer (verso 6)? Ou você quer ruína, perdição e muitas dores (versos 9 e 10)? Utilize a moeda do prazer cristão de forma sábia: não deseje ficar rico; contente-se com aquilo que é necessário para uma vida em tempos de guerra; coloque a sua esperança inteiramente em Deus; proteja-se do orgulho; e deixe que o seu prazer em Deus transborde rica e generosamente para um mundo perdido e necessitado.

Capítulo 9

O QUE ISSO SIGNIFICA PARA AS MISSÕES?

Baseado no que vimos no capítulo anterior sobre dinheiro, fica evidente que o grito de guerra do prazer cristão é missões mundiais: sacrificar o conforto e a segurança do lar pelos povos não-alcançados do mundo. É paradoxal o fato de as alegrias serem mais profundas onde os sacrifícios são maiores. Mas a busca por essas alegrias é a mola propulsora da evangelização do mundo.

Após Jesus dizer a seus discípulos que seria difícil para os ricos entrarem no reino dos céus (Mc 10.23), Pedro disse: "Eis que nós tudo deixamos e te seguimos" (verso 28). Podemos perceber que Jesus identificou certa autocomiseração em suas palavras. O que Ele disse a Pedro já fez com que milhares de missionários deixassem tudo em seus países de origem para seguir a Cristo nos lugares mais desafiadores do mundo:

> *Tornou Jesus: Em verdade vos digo que ninguém há que tenha deixado casa, ou irmãos, ou irmãs, ou mãe, ou pai, ou filhos, ou campos por amor de mim e por amor do evangelho, que não receba, já no presente, o cêntuplo de casas, irmãos, irmãs, mães, filhos e campos, com perseguições; e, no mundo por vir, a vida eterna..*
>
> (Mc 10.29-30)

Isso não significa que você se tornará rico do ponto de vista material ao se tornar um missionário. Se você for voluntário para o serviço missionário com tal idéia, o Senhor te confrontará com as seguintes palavras: "As raposas têm seus covis, e as aves do céu, ninhos; mas o Filho do Homem não tem onde reclinar a cabeça" (Lc 9.58).

Ao contrário, a questão é que se a sua família terrena for retirada de você por causa do serviço a Cristo, você será compensado mil vezes mais através da sua família espiritual, a igreja. Sim, mas e quanto aos missionários solitários que trabalham arduamente por anos sem serem cercados por centenas de irmãs, irmãos, mães e filhos na fé? Essa promessa é verdadeira para eles?

Sim. Por certo, o que Cristo quer dizer é que Ele mesmo compensa cada sacrifício. Se abrir mão do afeto e preocupação íntimos de uma mãe, você receberá cem vezes mais no afeto e preocupação do Cristo presente. Se abrir mão da amizade aconchegante de um irmão, você receberá cem vezes mais o aconchego e amizade de Cristo. Se abrir mão da "sensação de lar" que tem em sua casa, você receberá cem vezes mais o conforto e segurança de saber que o seu Senhor possui todas as casas, terras, riachos e árvores da terra. Àqueles que aspiram a obra missionária, Jesus diz que promete estar com eles (Mt 28. 20). Eu *trabalharei* tanto por você e *serei* o que você precisa, de forma que você não pensará ter feito sacrifício algum.

Essencialmente, Jesus diz que quando você "nega-se a si mesmo" por Sua causa e pelo evangelho, você está se privando de um benefício inferior por um superior. Isto é, Jesus quer que pensemos sobre o sacrifício de uma forma que elimine toda e qualquer autocomiseração. É exatamente isso que o texto sobre abnegação ensina:

> *Se alguém quer vir após mim, a si mesmo se negue,*
> *tome a sua cruz e siga-me. Quem quiser, pois,*
> *salvar a sua vida perdê-la-á; e quem perder a vida*
> *por causa de mim e do evangelho salva-la-á.*
>
> (MC 8.34-35)

Jesus não pede de nós que sejamos indiferentes à nossa destruição. Pelo contrário, Ele supõe que o anseio pela vida verdadeira nos moverá a rejeitarmos todos os prazeres inferiores e conforto que a vida nos oferece. A medida do nosso anseio pela vida é diretamente proporcional à quantidade de conforto que estamos dispostos a abrir mão para consegui-la. O presente da vida eterna na presença de Deus é glorificado se estivermos dispostos a odiarmos nossas vidas nesse mundo para alcançarmos o céu (Jo 12.25). Está aqui a importância da centralidade de Deus na abnegação.

É por isso que tantos missionários, após vidas inteiras de grande sacrifício, disseram: "Eu jamais fiz sacrifício algum". No dia 4 de dezembro de 1857, David Livingstone, o grande missionário pioneiro na África, fez um apelo comovente aos alunos da Universidade de Cambridge, mostrando que ele havia aprendido pelos anos de experiência o que Jesus ensinou a Pedro:

> As pessoas falam do sacrifício que fiz em gastar tanto tempo da minha vida na África... Longe de mim esteja tal palavra, tal visão, tal pensamento! Não é, verdadeiramente, sacrifício algum. Eu digo que é um privilégio. A ansiedade, a doença, o sofrimento, ou o perigo, tanto agora quanto no futuro, de vez em quando, com a ausência das conveniências e carinhos comuns desta vida, podem fazer com que paremos, com que nosso

espírito vacile e a alma afunde; mas que seja só por um momento. Tudo isso não é nada quando comparado com a glória que será revelada em nós e por nós [Rm 8.18]. Eu jamais fiz sacrifício algum.[24]

O grande incentivo para entregarmos nossas vidas à causa das missões são os 10.000 por cento de retorno que temos pelo investimento. Missionários podem testificar isto desde o princípio – começando com o apóstolo Paulo.

Mas o que, para mim, era lucro, isto considerei
perda por causa de Cristo. Sim, deveras considero
tudo como perda, por causa da sublimidade do
conhecimento de Cristo Jesus, meu Senhor; por
amor do qual perdi todas as coisas e as considero
como refugo, para ganhar a Cristo... para o conhecer,
e o poder da sua ressurreição, e a comunhão dos seus
sofrimentos, conformando-me com ele na sua morte

(FP 3:7-8, 10)

Porque a nossa leve e momentânea tribulação
produz para nós eterno peso de glória,
acima de toda comparação

(2CO 4.17; CF. RM 8.18).

É simplesmente incrível quão consistentes são os testemunhos de missionários que sofreram pelo evangelho. Praticamente todos eles dão testemunho da alegria transbordante e das recompensas que excediam esse sofrimento.[25]

Missões é o transbordar automático do amor por Cristo. Nós temos prazer em aumentar o nosso prazer nEle ao oferecer esse mesmo prazer a outros. Como Lottie Moon disse: "Não pode haver certamente alegria maior do que salvar almas".[26]

Em 1897, Samuel Zwemer, sua esposa e duas filhas navegaram para o Golfo Pérsico para trabalhar entre os muçulmanos de Bahrain. Seu esforço evangelístico foi, em grande parte, infrutífero. Em julho de 1904, ambas as suas filhas, com quatro e sete anos, morreram; uma delas morreu oito dias depois da outra. Ainda assim, cinquenta anos depois, Zwemer olhou para trás, lembrando dessa época de sua vida e disse: "A alegria pura de tudo que aconteceu volta à memória. Eu repetiria tudo outra vez jubilosamente.[27]

> O GRANDE INCENTIVO PARA ENTREGARMOS NOSSAS VIDAS À CAUSA DAS MISSÕES SÃO OS 10.000 POR CENTO DE RETORNO QUE TEMOS PELO INVESTIMENTO.

Missionários não são heróis que podem se gloriar por terem feitos grandes sacrifícios por Deus. Eles são os que verdadeiramente encontraram prazer em Cristo. Eles sabem que o grito de guerra do prazer cristão é missões. Eles descobriram cem vezes mais alegria e satisfação numa vida devotada a Cristo e ao evangelho do que em uma vida devotada ao conforto e prazer triviais e avanços tecnológicos mundanos. Eles vivenciaram o sofrimento, a decepção e a perda. Mas tudo isso foi superado pela promessa superior de tudo o que Deus é para eles em Jesus. Eles levavam em seus corações a advertência de Jesus de tomarmos cuidado com um espírito de autocomiseração ao nos sacrificarmos. Missões é lucro! Lucro cem vezes maior!

Em 8 de janeiro de 1956, cinco índios Aucas do Equador mataram Jim Elliot e seus quatro companheiros missionários, quando eles tentavam levar o evangelho para os Aucas. Quatro jovens esposas perderam seus maridos e nove crianças perderam seus pais. Ellisabeth Elliot escreveu que o mundo chamou a tragédia de pesadelo. Mas ela acrescentou: "O mundo não compreendeu a verdade da segunda frase da confissão de Jim Elliot":

Não é tolo quem entrega o que não pode reter para ganhar o que não pode perder.[28]

Deus não colocou Jim Elliot, Samuel Zwemer e Lottie Moon no mundo simplesmente para mostrar sua alegre tribulação, mas também para despertar nossa paixão por imitá-los.

Ele diz em Hebreus 13:7: "e, considerando atentamente o fim da sua vida, imitai a fé que tiveram". E em Hebreus 6.12: "[Sejais] imitadores daqueles que, pela fé e pela longanimidade, herdam as promessas". Portanto, se você sente em sua alma um anseio pelo tipo de satisfação em Deus que libertou esses santos para o sacrifício do amor, saboreie-o e coloque lenha no fogo através da oração antes que Satanás o apague. Esse pode ser um momento decisivo em sua vida.

EPÍLOGO:

Um chamado final

O prazer cristão é o convite de Deus para abraçarmos o risco e a realidade de sofrer pela alegria que nos está proposta. Cristo *escolheu* o sofrimento, isso não é algo que simplesmente aconteceu com Ele. Ele escolheu o sofrimento como a forma de criar e aperfeiçoar a Igreja. Ele nos chama a carregarmos a nossa cruz, a seguirmos no caminho do Calvário, negarmos a nós mesmos, fazermos sacrifícios para ministrar à igreja e expor os Seus sofrimentos ao mundo. Mas não se esqueça, como Jonathan Edwards pregou em 1723: "A abnegação destrói a raiz e a causa da tristeza".[29]

A resposta a esse convite é um passo radical na busca pelo prazer cristão. Nós não escolhemos o sofrimento simplesmente porque é a coisa certa a fazer, mas porque Aquele que nos manda fazê-lo descreve-o como o caminho para o prazer eterno. Ele nos chama à obediência do sofrimento não para demonstrar a força da nossa devoção ao dever, apresentar o vigor da nossa determinação moral ou provar o quanto somos capazes de tolerar a dor; mas para manifestar, numa fé de criança, a infinita preciosidade das promessas de Deus, que nos satisfazem totalmente.

Essa é a essência da busca pelo prazer cristão. Na busca pela alegria através do sofrimento, nós engrandecemos o valor dAquele que nos satisfaz — a fonte da nossa alegria. O próprio Jesus Cristo brilha como a luz no fim do túnel do nosso sofrimento. Portanto, o significado do nosso sofrimento, que glorifica a Deus é: Cristo é lucro! Mundo, acorde e veja: Cristo é lucro!

A finalidade principal do homem é glorificar a Deus. A frase de que *Deus é mais glorificado em nós quando estamos mais satisfeitos nEle* é mais verdadeira no sofrimento do que em qualquer outra situação. Minha oração, portanto, é que o Espírito Santo derrame no povo de Deus ao redor do mundo uma paixão pela supremacia do nosso Senhor e Deus, Jesus Cristo. A busca de nossa alegria em Cristo, qualquer que seja a dor que isso implique, é um testemunho poderoso do valor supremo do Cristo que satisfaz. Então, que todos os povos do mundo vejam a beleza de Cristo – a imagem de Deus – e louvem a Sua graça na alegria da fé salvadora.

Notas

1. Santo Agostinho, *Confissões*. trad. Maria Luiza Jardim Amarante (São Paulo: Paulus, 1997), p. 20 (I, 1).
2. C. S. Lewis, *A Mind Awake: An Anthology of C. S. Lewis*, ed. Clyde Kilby (New York: Harcourt Brace and World, 1968), p. 22.
3. Ibid., 22-3.
4. Santo Agostinho, *Confissões*, p. 236 (IX, 1).
5. Blaise Pascal, *Pensamentos*. trad. Mario Laranjeira (São Paulo: Martins Fontes, 2000), p. 60-61 (pensamento #148).
6. Richard Baxter, *The Saints' Everlasting Rest* (Grand Rapids, Mich.: Baker Book House, 1978), p. 17.
7. Matthew Henry, *Commentary on the Whole Bible*, vol. 2 (Old Tappan, N.J.: Fleming H. Revel, n.d., original 1708), p. 1096.
8. Jonathan Edwards, *The End for Which God created the World*, in John Piper, *God´s Passion for His Glory* (Wheaton, Ill: Crossway Books, 1998), p. 158, paragraph 72.
9. Jonathan Edwards, *The "Miscellanies" (Entry Nos. a-z, aa-zz, 1-500)*, ed. Thomas Schafer, *The Works of Jonathan Edwards*, vol. 13 (New Haven, Conn: Yale University Press, 1994), p. 199 (Miscellany #3).

10. C. S. Lewis, *O peso de glória*. trad. Lenita Ananias do Nascimento (São Paulo: Vida, 2008), p. 30.
11. Citado na obra de Samuel Zwemer, "The Glory of the Impossible", em *Perspectives on the World Christian Movement*, terceira edição, eds. Ralph Winter e Steven Hawthorne (Pasadena, California: William Carey Library, 1999), p. 315.
12. De uma carta para Sheldon Vanauken em *A Severe Mercy*, de Vanauken (New York: Harper and Row, 1977), p. 189.
13. E. J. Carnell, *Christian Commitment* (New York: Macmillan, 1967), p. 160-1.
14. *Propiciação* é uma palavra rara hoje em dia. Ela tem sido substituída em muitas traduções por termos mais comuns (expiação, reconciliação, sacrifício). Eu uso essa ordem para enfatizar o significado original, que, o que Cristo fez ao morrer na cruz por pecadores foi mitigar a ira de Deus contra pecadores. Ao exigir de seu filho tanta humilhação e sofrimento pelo bem da Glória de Deus, Ele abertamente demonstrou que Ele não varre o pecado para debaixo do tapete. Todo desprezo à Glória d'Ele é devidamente punido, seja na cruz, onde a ira de Deus é propiciada àqueles que crêem, ou seja no inferno, onde a ira de Deus é derramada naqueles que não crêem.
15. Jonathan Edwards, *The "Miscellanies" a-500*, ed. Thomas Schafer, *The Works of Jonathan Edwards*, vol. 13 (New Haven, Conn.: Yale University Press, 1994), p. 495. Miscellany #448; ver também #87, 251-2; #332, 410; #679. Ênfase adicionada. Estas miscelâneas eram os cadernos pessoais de Edwards, através dos quais ele escreveu seus livros, como por exemplo, *The End for Which God Created the World*. Eu modifiquei a pontuação da edição de Yale.
16. C. S. Lewis, *O peso de glória*, p. 30.
17. C. S. Lewis, *Reflections on the Psalms* (New York: Harcourt, Brace and World, 1958), p. 94-5.
18. Jonathan Edwards, *Trestise Concerning the Religious Affections* em *The Works of Jonathan Edwards*, vol. 1 (Edinburgh: The Banner of Truth Trust, 1974), p. 237.
19. Alegria (Sl 100.2; Fp 4.4; 1Tss 5.16; Rm 12.8, 12, 15), esperança (Sl 42.5; 1Pe 1.13), temor (Lc 12.5; Rm 11.20; 1Pe 1.17), paz (Cl 3.15), zelo (Rm 12.11), tristeza (Rm 12.15; Tg 4.9), desejo (1Pe 2.2), benignidade (Ef 4.32), quebrantamento e contrição (Sl 51.17), gratidão (Ef 5.20; Cl 3.17), humildade (Fp 2:3).

20. Santo Agostinho, *Confissões*, p. 301 (X, xxix).
21. Jonathan Edwards, *The End for Which God Created the World*, p. 177, parágrafo 119.
22. Um provérbio indígena norte-americano. Veja Guy A. Zona, ed., *The Soul Would Have no Rainbow if the Eye Had No Tears* (Nova Iorque: Touchstone Books, 1994).
23. Ralph Winter, "Reconsecration to a Wartime, not a Peacetime Lifestyle", em *Perspectives on the World Christian Movement,* terceira edição, eds. Ralph Winter e Steven Hawthorne (Passadena, Califórnia: William Carey Library, 1999), p. 705.
24. Citado na obra de Samuel Zwemer, "The Glory of the Impossible", em *Perspectives on the World Christian Movement,* terceira edição, eds. Ralph Winter e Steven Hawthorne (Pasadena, Califórnia: William Carey Library, 1999), p. 315.
25. Para histórias dos sofrimentos alegres de missionários, veja John Piper, *Alegrem-se os Povos: A Supremacia de Deus em Missões* (São Paulo: Cultura Cristã, 2001), p. 77-120.
26. Citado em Ruth Tucker, *"... Até os confins da terra": Uma história biográfica das missões cristãs* (São Paulo: Vida Nova, 1989), p. 252. Charlotte Diggs (Lottie) Moon nasceu em 1840 no estado da Virgínia, nos Estados Unidos e embarcou para a China como missionária Batista em 1873. Ela é conhecida não só por seu trabalho pioneiro na China, mas também por mobilizar as mulheres das igrejas da Convenção Batista do Sul dos Estados Unidos para a causa missionária.
27. Citado em *"... Até os confins da terra"*, p. 295.
28. Elisabeth Elliot, *Shadow of the Almighty: The Life and Testament of Jim Elliot* (New York: Harper and Brothers, 1958), p. 19.
29. Jonathan Edwards, "The Pleasantness of Religion", em *The Sermons of Jonathan Edwards: A Reader* (New Haven, Connecticut: Yale University Press, 1999), p. 19.

Você quer conhecer mais sobre este assunto?

Este livreto é uma versão resumida de *Em busca de Deus: A plenitude da alegria cristã*, da Shedd Publicações. Se o seu apetite foi despertado para se aprofundar na busca pelo prazer cristão, eu te convido a comprar a versão maior e lê-la.

Com o passar dos anos, continuo a testar e aprimorar essa visão através das Escrituras e da minha vida. Se quiser ver o fruto desse refino, você pode observar a relação entre o prazer cristão e a natureza de Deus (*The Pleasures of God*, edição revisada e expandida, Multnomah, 2000), a excelência de Jesus Cristo (*Seeing and Savoring Jesus Christ*, Crossway, 2001), a seriedade e alegria da pregação (*A Supremacia de Deus na Pregação*, Shedd Publicações, 2003), o poder e o preço da evangelização do mundo (*Alegrem-se os Povos*, Cultura Cristã, 2001), o significado da masculinidade e feminilidade (*What´s the Difference?*, Crossway, 1990), a luta diária contra a descrença e o pecado (*The Purifying Power of Living by Faith* em *Future Grace*, Multnomah, 2005), a disciplina do jejum e da oração (*A Fome de Deus*, Cultura Cristã, 2007), as vidas de grandes santos (*O Legado da Alegria Soberana* e *O Sorriso Escondido de Deus*, Shedd Publicações, 2002-2005), a base da vida e pensamento de Jonathan Edwards (*A paixão de Deus por sua glória*, Cultura Cristã, 2008), e as dezenas de pequenas questões que enfrentamos diariamente (*Uma vida voltada para Deus*, Editora Fiel, 2007).

FIEL
MINISTÉRIO

O Ministério Fiel visa apoiar a igreja de Deus de fala portuguesa, fornecendo conteúdo bíblico, como literatura, conferências, cursos teológicos e recursos digitais.

Por meio do Ministério Apoie um Pastor (MAP), a Fiel auxilia na capacitação de pastores e líderes com recursos, treinamento e acompanhamento que possibilitam o aprofundamento teológico e o desenvolvimento ministerial prático.

Acesse e encontre em nosso site nossas ações ministeriais, centenas de recursos gratuitos como vídeos de pregações e conferências, e-books, audiolivros e artigos.

Visite nosso site

www.ministeriofiel.com.br

Esta obra foi composta em Chaparral Pro Regular, corpo 11.2, e impressa
por Promove Artes Gráficas sobre o papel Pólen Natural 70g/m²,
para Editora Fiel, em Miolo de 2025.